사라지는 것들

사라지는 것들

최은영

상실의 그림자

프랑스에서 어학을 하고 있을 때, 사랑하는 가족의 비보를 접하게 되었다. 그때 겪은 상실은 내가 지금까지 살면서 경험한 제일 큰 슬픔이자 고통이었다. 내 의지대로 못 할 것이 없다고 생각하며 살아온 삶의 가치관이 산산이 부서짐과 동시에 인간이 이렇게 무기력하고 나약한 존재라는 것을 뼈저리게 느끼게 되었다. 도무지 받아들여지지 않는 현실은 삶의 의지마저 짓밟았다. 아무리 외면해도 슬픔, 무력감, 분노가 수시로 치솟았고 대체 이 삶을 왜 살아야 하는지 끊임없이 되묻게 되었다. 그저 열심히 살아온 그동안의 노력이 모두 헛되게 느껴졌다.

학업을 마치지 못하고 한국으로 돌아왔을 때, 남아있는 가족들 곁에 있어야겠다고 생각했다. 함께 슬픔을 극복하고 싶었지만 생각처럼 잘 되지 않았다. 사실 이제야 고백하지만, 동생의 흔적이 남아있는 곳에 있을 자신이 없었다. 더 해주지 못한 후회와 과거의 기억에서 허우적거렸다. 동생이 잠들어 있는 곳에 가는 것조차 힘들었다. 자꾸만 드러나는 슬픔을 보이기 싫었지만 방법을 찾지 못했다. 아무도 모르는 낯선 땅에 숨어버리고 싶은 마음 반, 미완의 학업을 끝내야 한다는 마음 반과 함께 프랑스를 다시 가야 하나 고민할 무렵, 거짓말처럼 동생을 꿈에서 만났다. 구름 한 점 없는 맑은 날씨에 투명한 바다가 펼쳐져 있는 해변을 동생과 걸었다. 한 번도 본적 없는 색색의 꽃이 피어 있는 숲길에서 사탕처럼 아주 달콤한 공기를 마시며 함께 한바탕 웃었다. 꿈이라는 것을 알아차릴 무렵에 동생은 나에게 그동안 예뻐해 줘서 고맙다는 말을 남기고 떠났다. 눈을 떴을 때, 나는 베개가 다 젖도록 엉엉 울고 있었다.

그리고 다시 프랑스로 돌아왔다. 그저 먼 훗날, 다시 동생을 만날 때 누나가 이렇게 열심히 살다 왔다고 떳떳하게 말할 수 있어야 한다는 생각뿐이었다. 아직도 '왜 살아가야 하는가'에 대한 답은 찾지 못했다. 그럼에도 불구하고 계속 나아가기 위해, 나는 그동안 외면해 왔던 크고 작은 나의 고통을 마주하기 시작했다. 예고 없이 찾아와 내 삶의 일부를 마비시키고 혼란스럽게 만든 고통은 틈만 나면 나를 계속 어둠 속으로 밀어 넣으려 하기 때문이었다. 부단히 애를 써도 피할 수 없다면 차라리 멱살을 잡고 끌어올려 보자는 오기 섞인 마음이 커졌다.

이 책에 담긴 글들은 그런 과정에서 쓰게 됐다. 일상의 깨진 조각들을 들추어내어 나의 결함을 인정하기 위해, 한 번씩 덮치는 무력감을 떨쳐내기 위해, 결코 직면하고 싶지 않은 현실을 마주하기 위해, 그리고 마음껏 슬퍼하고 추모하기 위해.

이 글들이 조금이나마 나와 같은 고통을 겪은 이들에게 위로가 될 수 있기를 바란다. 부족한 나를 늘 기다려주며 지지해 주는 사랑하는 가족과 하늘에서 또 다른 새로운 삶을 살고 있을 순호에게 감사의 말을 전한다.

차 례

1번째 단편: 흉터

"차라리 날 죽이라고!"

윤영이 토해내듯 뱉어낸 절규는 병실 사이를 가르며 적막으로 가득했던 공기를 격렬하게 흔들었다. 괴로움과 고통으로 뒤엉킨 울부짖음이 사람들 귀에 내리꽂혔다. 복도의 불들이 순식간에 살아나며 황급히 뛰어가는 간호사의 발걸음 소리가 환자들의 잠을 마저 깨웠다. 주변의 보호자들이 걱정스러운 표정으로 병실 문을 열고 주위를 살폈다. 자정이 다 된 시간이었다. 어렵게 평안을 찾고 애써 잠을 청하려 했던 이들은 침묵이 깨져서 불편할 법도 했지만, 그 누구도 소리 내어 표현하지 않았다. 암 병동은 그런 곳이었다.

"윤영아, 수술이 잘 끝났다잖아. 진짜 며칠만 참으면 집으로 돌아갈 수 있어."

엄마가 타이르면서 힘주어 잡는 손을 뿌리치고 귀를 막고 싶었지만 아무것도 할 수 없었다. 수술 후에는 모든 것이 괜찮아질 것이라고 믿었는데 오랜 시간 괴롭혀 온 고통은 쉽게 사라지지 않았다. 병실에 도착한 간호사가 가느다란 링거줄을 잡고 빠르게 주사기를 꽂았다. 차가운 약물이 몸 안으로 서서히 번져갔다. 윤영은 점점 의식이 사라짐을 느끼며 이대로 눈을 감고 모든 고통에서 벗어나 영원히 잠들면 좋겠다고 생각했다.

  어린 시절, 윤영은 수줍음이 많은 아이였다. 특히 많은 사람 앞에 서거나 주목을 받게 될 때면 금방 얼굴을 붉히고 엄마 뒤로 몸을 숨겼다. 엄마와 선생님은 종종 윤영이 자기 생각을 제대로 표현하지 못하는 것을 걱정했다. 그런 윤영에게서 뜻밖의 재능을 발견하게 된 것은 그의 그림을 통해서였다.

  윤영의 방을 정리하던 엄마는 무심코 바라본 스케치북에서 시선을 뗄 수 없었다. 거친 선과 색으로 가득 채운 그림들은 단박에 윤영의 생각을 알 수 있을 정도로 표현력이 풍부했다. 게다가 그림의 구도는 어린아이가 이해하고 표현했다는 것이 믿기지 않을 정도로 놀라웠다.

  엄마는 그제야 윤영이 자신이 겪은 상황을 다양한 각도에서 바라보고 거침없는 색으로 표현하고 있었음을 알게 되었다.

  그 후로 윤영은 전폭적인 지원을 받으며 그림을 그리는 데에 몰두했다. 아빠는 출장을 다녀올 때 늘 화구를 사 왔다. 책상에 앉아 있는 것을 좋아하지 않았지만 그림을 그릴 때만큼은 달랐다. 시간 가는 줄 모르고 그림에 달라붙어서 만족스러울 때까지 그리고 또 그렸다. 윤영은 크레파스에서 나는 화학약품 냄새마저 좋아했다. 하나의 색상에 다른 색상을 섞을 때 미묘하게 변화되는 새로운 세상은 아무리 그려도 질리지 않았다. 방 안은 그의 손끝에서 태어나는 상상력이 살아

숨쉬는 그림들로 가득 찼다. 그때부터 윤영은 장래 희망을 물으면 늘 화가라고 대답했다.

처음으로 나간 어린이 미술대회에서 자신보다 나이가 많은 언니, 오빠들을 제치고 대상을 받은 이후 그 누구도 윤영의 꿈을 의심하지 않았다. 학교 대표로 사생대회에 나가도 늘 대상은 윤영의 차지였다. 언론에서는 '앞으로 K미술 시장을 이끌 청소년 유망주'로 주목했다. 기사에 이름이 올라갔을 때 조금 쑥스러웠지만, 그가 만들어내는 색채에서 특유의 따뜻함이 느껴진다는 평론가의 글에서 공감받는 것 같아 안도했다. 그리고 곧 당연한 수순으로 원하던 미대에 진학했다.

대학에 들어온 이후 윤영은 자신이 꿈꿔왔던 예술가의 길에 한층 더 가까워졌다고 여겼다. 그동안 접할 기회가 적었던 장르와 표현기법은 그녀의 창작 세계를 풍부하게 확장했다. 여러 가지 테크닉에 대한 변용 역시 자유로웠고 과감했다. 그중 단연 돋보이는 것은 화려한 색채였다. 다채로운 색상을 사용했으나 번잡하지 않았고 따뜻한 생명력이 넘쳤다. 여전히 적은 말수에 차분한 성격을 지녔지만 화폭에서는 늘 적극적이고 주체적이었다.

마지막 학기를 보낼 때였다. 졸업 전시를 남겨둔 두 학생들이 쉴 새 없이 손을 움직이며 작품에 열중하고 작업실에 열기를 더했다. 흰 벽과 회색 콘크리트 바닥이던 공간은 이제 물감 자국과 스케치들로 뒤덮였고, 각 작업대는 다양한 색채와 형태를 보이는 작품들이 개성을 발산했다. 물감, 희석제, 점토 등 다양한 재료들의 냄새가 섞인 독특

한 공기는 무질서 속에서도 어떤 조화를 이뤘다. 윤영도 작업실 한쪽 벽을 차지하고 있는 커다란 캔버스를 바라보고 섰다. 팔레트 위에 짜 놓은 물감들을 나이프로 조금씩 덜어서 여러 가지의 색을 조합해 새로운 색으로 바꾸는 작업에 몰두했다. 점차 선선해지는 날씨에도 불구하고 윤영의 이마에는 땀방울이 맺혔다. 붓에 오일을 살짝 묻히고 섞어 둔 색을 덜어 캔버스 위를 채워 나갔다. 시간이 흐를수록 오른쪽 어깻죽지가 점점 뻐근해졌다. 미대생들의 숙명 같은 통증이었다. 잠시 붓을 내려두고 오른팔을 휘휘 돌릴 때 지유가 등 뒤로 다가왔다.

"이 작가님, 조금 쉬면서 하시죠?"

지유가 장난스레 말을 걸었다. 지유는 윤영의 어깨를 가볍게 주무르며 윤영의 캔버스를 바라보았다.

"참 신기하단 말이야. 너는 파란색을 써도 어떻게 이런 따뜻함이 느껴지지?"

지유가 캔버스 위에 금방 발린 물감을 바라보며 감탄했다. 윤영은 곁에 다가와 큰소리로 칭찬하는 지유의 속셈을 모르지 않았지만, 늘 자신을 안심시켜 주는 지유의 말이 좋았다.

"그래서 뭐가 필요한데?"

윤영이 몸을 빙글 돌려서 지유를 바라보며 말했다. 지유는 들켰다는 듯 배시시 웃으며 윤영을 마주 보았다.

"나 캔버스 프레임 짜야 하는데 도와주라."

지유에게 팔을 붙잡힌 채 창고처럼 변해버린 복도를 걷다 보니, 어느새 목공 아틀리에 앞이었다. 문을 열자 갓 깎인 목재에서 우러나오는 짙은 나무 향이 코끝을 자극했다. 잘 정돈된 도구들을 지나 걸음을 옮길 때마다 바닥에 소복하게 쌓인 톱밥들이 발끝 위로 퍼졌다. 지유는 이미 필요한 만큼 나무를 잘라놔서 가져오기만 하면 된다고 했다. 윤영이 잠시 기다리는 사이에 지유가 나무 막대기들을 들고 와서 넓은 테이블 위에 펼쳐 놓기 시작했다. 나무 막대기들이 테이블 위에서 네모난 틀을 만들며 자리를 잡았다. 그 사이에 지유는 잠깐의 틈도 허용하지 않고 이런저런 말을 해댔다. 미술을 하려면 제일 중요한 것이 체력이라면서 그동안 목공 아틀리에를 오가며 자른 나무들로 집도 짓겠다거나, 예술가는 배가 고파야 한다는데 먹는 게 포기가 안 된다거나. 이런 영양가 없는 말들도 지유가 하면 그저 웃음이 났다.

윤영이 나무틀을 단단하게 잡아 고정할 때, 지유가 드릴을 잡고 나사를 박으며 또 다른 주제로 말을 꺼냈다.

"윤영아, H예술재단 공모전은 지원한 거지?"

윤영은 이메일로 지원서와 포트폴리오를 보냈다고 대답했다. 지유는 둘 다 신진미술인으로 당선되면 좋겠다며 웃었다. 곧 학교를 떠나면 맞이하게 될 사회에서 어떻게 작가로 성공할 수 있을지 누가 알려주면 좋겠다고 푸념도 했다.

만들어지는 틀의 개수가 늘어날수록 어깻죽지가 다시 뻐근해졌다. 어느새 등은 땀으로 흥건해졌다. 윤영은 수시로 옷 안에 손을 넣어 등에 흐르는 땀을 닦았다. 이제 만들어진 틀 위에 천을 덮는 일만 남았다. 지유는 젯소가 발린 하얀 아사천을 건넸다. 윤영이 천의 양쪽 끝을 잡고 틀 위로 당길 때였다. 손바닥 안쪽에 붉은 물감이 가득 묻어 있었다. 하얀 천에도 붉은 자국이 찍혔다.

"이게 뭐야! 누가 물감을 흘렸나?"

윤영이 눈을 동그랗게 뜨고 주위를 두리번거렸다. 그리고 손을 닦기 위해 아틀리에 구석에 있는 세면대로 향할 때였다.

"윤영아! 너 등에…"

지유는 놀라서 말을 잇지 못하고 윤영을 쳐다보았다. 세면대 거울로 등 뒤를 확인하자 윤영이 입은 연한 하늘색 티셔츠가 땀에 젖은 것처럼 피로 물들어 있었다. 무슨 일이 일어난 것인지 상황 판단도 하기 전에 윤영은 현기증을 느끼고 그 자리에 주저앉아 버렸다.

다급하게 어디론가 전화를 거는 지유의 모습이 슬로우 모션처럼 눈앞을 스쳤다. 사람들이 몰려왔고 무언가를 이야기했지만, 귓가가 윙윙 울리기만 할 뿐이었다. 이어서 구급대원들이 도착했고 윤영은 들것에 실려서 학교 밖으로 빠져나갔다.

"림프종입니다."

의사의 목소리는 아무런 감정 없는 기계처럼 건조했다. 그는 그것이 혈액암의 일종이라고 설명했다. 윤영은 특별하게 아픈 곳이 없었기에 암이라는 단어가 현실과 동떨어진 것처럼 느껴졌다. 몇 번을 곱씹어도 도무지 받아들여지지 않았다. 엄마는 다시 검사를 해보고 싶다고 했지만, 의사는 단호하게 몇 번이나 확인한 결과라고 대답했다. 오른쪽 등에 종양 덩어리가 생겼고 주변 혈관들이 서로 엉키다가 터지는 희귀한 사례라는 설명이 뒤따랐다.

응급실에 도착했을 때 윤영의 등에서는 붉은 물감이 눈물처럼 흐르고 있었다. 겉으로 볼 때 물사마귀 같은 작은 물집이 하나 터진 것 같았는데, 실제로 등 안쪽에 종양이 너무 깊게 퍼져 있어서 그 크기를 가늠할 수 없었다.

"지금으로서는 등을 열고 최대한 종양 덩어리를 제거하는 것 외에 다른 방법이 없습니다."

의사는 너무나 사무적인 말투로 아무렇지도 않게 엄청난 말을 내뱉었다. 곧이어 간호사가 채혈하고 수술 일정을 잡도록 안내했다. 짧은 진료 시간과는 다르게 주의사항과 입원 일정은 예상보다 길었다. 등의 절반을 들어내다시피 하는 대규모 수술에는 피부이식도 필요했다. 재활 치료도 받아야 하고 큰 흉터가 남을 거라는 설명에 윤영의 마음 한구석에는 초조함이 커졌다. 왠지 모르게 그동안 당연하게 꿈꾸던 미래가 주저앉아 버릴 것 같은 불안에 휩싸여서 헤어 나올 수 없었다.

윤영은 수술을 마치고 병실로 돌아온 후 사방에 차가운 어둠이 내릴 무렵에 깨어났다. 예상 시간을 훌쩍 넘겨서 무려 10시간이나 걸린 대수술이었다. 그러나 경과가 좋다는 말과 다르게 윤영의 얼굴은 고통으로 가득 차 일그러져 있었고 눈에서는 쉴 새 없이 눈물이 쏟아졌다. 이를 악물어도 신음이 새어 나오고 있었지만, 온몸은 침대에 묶여 있는 것처럼 미동도 없었다. 엄마는 깨어난 윤영의 손을 잡으며 잘 버텨줘서 고맙다는 말을 건넸다. 그러나 윤영은 미간의 주름을 더 깊게 패게 만들고 눈을 질끈 감을 뿐이었다. 침대 뒤에 엎드린 채 얼굴을 베개에 묻은 윤영의 눈물은 잠시도 멈출 줄 모르고 주변을 축축하게 적셨다. 무거운 기류가 병실을 채우고 점점 더 무겁게 온몸을 짓눌렀다.

회진을 돌던 의사는 피부이식을 한 자리가 회복될 때까지 계속 엎드려 있어야 한다고 했다. 윤영은 수천 개의 바늘이 온몸을 찌르는 것 같은 통증을 얼마나 견뎌야 하는지 알 수 없어서 답답했다. 분노와 억울함이 수시로 치솟았다. 알지도 못하면서 괜찮냐고 묻는 엄마가 짜증스러워서 상태를 확인할 때마다 뾰족하게 대꾸했다. 어느 것 하나 마음에 드는 것이 없었다. 움직일 수 없어서 도움이 필요한 상황이었지만 무언의 벽을 세우고 도리어 주변 사람들을 밀어내려고만 했다.

언제 터질지 모르는 시한폭탄처럼 조마조마한 윤영의 상태는 5일째 되던 날 폭발하고 말았다. 기어코 혼자 힘으로 몸을 일으키려고 애

를 썼지만, 얼굴을 뒤덮은 땀이 무색하게 겨우 팔만 조금 뻗을 수 있
었다. 침대 위의 작은 공간조차 벗어나지 못하는 보잘것없는 사투의
결과는 너무나 참혹했다. 움직이려고 힘을 주었던 부위에서 고통이
들불처럼 빠르게 번지며 다시 눈물이 터져 나왔다. 할 수 있는 것이라
고는 침묵이 내려앉은 병동을 찢어질 듯한 절규로 뒤흔드는 것뿐이
었다. 차라리 죽이라고 악을 쓰며 고래고래 울부짖는 소리에 옆 병실
의 보호자들 눈도 벌겋게 달아올랐다. 절망적인 결말을 원하는 말들
을 내뱉고 있음에도 느껴지는 간절한 애원이 가슴을 먹먹하게 만들
었다.

　윤영은 시끄럽게 울리는 핸드폰 벨 소리에 잠에서 깼다. 다시 얼얼
한 통증이 온몸을 휩쓸었다. 미간을 잔뜩 찌푸리며 왼손을 겨우 더듬
어 핸드폰을 집었다. 액정에는 모르는 번호가 요란하게 존재를 알렸
다. 간신히 화면을 터치한 윤영은 잔뜩 쉰 목소리로 전화를 받았다.
　- 이윤영 씨, 안녕하세요. H예술재단입니다. 이번에 지원하신 신진
미술인으로 선정되셔서 전화드렸습니다. 축하드립니다…
　생각지도 못했던 전화에 어안이 벙벙해졌다. 졸업 후 진로에 대해
고민하다가 세웠던 목표를 이런 순간에 달성하리라고는 전혀 예상하
지 못했다. 분명 기뻐해야 할 일이었음에도 마냥 좋아할 수는 없었다.
당선자들은 두 달 뒤로 예정된 전시에 참여해야 했고 신작도 한 점 이
상 발표해야 했다. 그러나 윤영에게는 아직 제 몸 하나 가누지 못하는
이 상황부터 해결하는 것이 급선무였다.

며칠이 지나자, 윤영은 점차 몸을 일으킬 수 있게 되었고 보조기에 의지해 걸을 수 있게 되었다. 가만히 있을 때 밀려오던 통증은 줄어들었지만 움직일 때는 여지없이 근육이 찢기는 것 같은 고통에 휩싸였다. 시간의 흐름은 잔인했다. 재활 훈련을 하는 동안의 시간은 그의 의지를 시험하며 영원히 끝나지 않을 것처럼 더디게 흘렀고, 예정된 전시는 과녁을 향하는 화살처럼 쏜살같이 다가오고 있었다.

전시가 한 달 남짓 남았을 때 윤영은 드디어 병원을 벗어날 수 있었다. 하지만 완전하게 회복되지 않은 상태에서 신작 준비를 할 수 있는 시간은 너무나 짧았다. 무거운 압박감으로 숨을 쉬는 것도 불편할 지경이었다. 더 이상 지체할 시간이 없었다. 윤영은 아주 오랜만에 학교의 작업실로 향했다. 고통과 싸우며 재활에 몰두한 사이 세상은 가을의 마지막 잎새를 털어내고 차가운 공기를 잔뜩 머금은 겨울로 접어들었다.

작업실에 도착하자 지유가 제일 먼저 다가와 윤영을 와락 끌어안았다. 그리고 눈물을 글썽이며 이제 괜찮은 거냐고 물었다. 윤영은 그 찰나의 순간에 자신을 안던 지유의 손이 등에 닿자마자 움찔거렸음을 느꼈다. 수술 후 깊게 팬 흉터의 그 굴곡진 형태를 분명 알아챘을 것이다. 윤영은 괜히 불편한 마음이 들어서 몸을 빼냈다. 지유는 혹시 아팠냐며 미안해했지만, 그보다 전에는 없었던 결함이 들춰진 것 같아 피하고 싶었다. 불편한 기색을 느낀 지유가 도움이 필요하면 언제든지 이야기하라는 말을 남기고 자리를 비켜 주었다.

윤영은 오랫동안 내버려두었던 캔버스를 다시 마주하고 섰다. 팔레트에 물감들을 조금씩 덜어내자 익숙한 냄새가 퍼졌고 비로소 안도의 한숨을 쉴 수 있었다. 붓을 쥐고 덜어 둔 색을 묻혔다. 그러나 캔버스에 채색하기 위해 오른팔을 들어 올리자 손이 덜덜 떨리기 시작했고 등에서는 다시 통증이 느껴졌다. 왼손으로 팔을 지탱해도 원하는 대로 붓질을 할 수 없었다. 윤영은 당황스러웠다. 섬세한 표현이 강점인 자신의 스타일로 캔버스를 채워 나가고 싶었지만 손은 번번이 빗나갔다. 이를 악물고 겨우 선 몇 개를 그리면서 수십 번 수정해야 했다. 이마에는 금방 땀이 맺혔고 등의 통증 때문에 수시로 붓질을 멈출 수밖에 없었다.

윤영은 한 번씩 등 뒤로 왼손을 넣어 수술 부위를 더듬었다. 피부이식을 했음에도 손바닥보다 더 큰 크기로 움푹 팬 등의 피부는 화상을 입은 것처럼 붉었고 단단했다. 붓을 여러 차례 들었다가 내려놓는 사이 등에도 땀이 흥건하게 흘렀지만, 피부의 감각이 느껴지지 않았다. 윤영은 땀을 닦아낸 손을 수시로 살폈다. 또다시 붉은 물감이 손에 잔뜩 묻어 있을 것 같은 불안은 손을 확인하지 않으면 가시지 않았다.

여러 날이 지나도 늘 같은 상황이 반복되었다. 작업실의 침묵은 윤영의 좌절과 함께 깊어만 갔다. 눈물이 볼을 타고 무릎 위를 적시는 날도 늘어갔다. 캔버스에는 의도와 다른 선들이 자꾸만 자리를 차지했다. 어린아이 같은 서툰 붓질은 비정형의 색 덩어리들만 쌓아서 심리적 압박감은 더욱 커졌다. 오랜 시간을 거치며 자연스럽게 만들어 간 섬세한 묘사는 아무리 덧칠하고 수정해도 그 모습을 드러내지 않았다. 완벽을 추구했던 윤영은 자신의 불완전함이 남겨진 캔버스를 가리고 싶어서 점점 조급해졌다. 그러나 마음과는 다르게 작업 속도는 더뎌졌고 팔을 계속 들어 올릴수록 통증의 빈도도 늘었다. 아무리 애써도 화폭에 남아있는 것은 실패의 기록뿐이었다.

어느덧 동기들은 작품들을 마무리하고 작업실은 점차 한산해졌다. 가끔 지유가 들러서 윤영을 확인할 때를 제외하고 혼자 작업실을 지키는 날들이 늘어갔다.

전시가 이 주 정도 남은 날이었다. 첫눈이 올 거라는 예보와 다르게 잔뜩 흐린 구름은 창밖으로 비를 뿌리고 있었다. 윤영은 다시 캔버스를 채우기 위해 사투를 벌이는 중이었다. 힘겹게 팔을 들어 올리다가 붓을 움켜쥐고 있는 자신의 손을 바라보았다. 한때는 그렇게 많은 가능성을 품었던 손이 이제는 제 기능을 하지 못하고 덜덜 떨고 있었다. 남은 시간 동안 작품을 완성하지 못할 것임은 자명한 사실이었다. 작업실에 가득 차오르는 무력감과 함께 윤영은 천천히 무너져 내렸다. 붓이 바닥으로 떨어지는 소리가 유난히도 크게 울려서 귓가를 떠나지 않았다. 겨우 버티고 서있던 몸은 힘없이 작업대 옆으로 쓰러졌고 그대로 주저앉았다. 앞으로 나아갈 수 없는 절망의 경계가 윤영을 완전히 막아버렸다. 눈에서는 참을 수 없는 눈물이 흐르고 점차 깊은 수렁으로 가라앉았다. 그리고 곧 마음속 깊은 곳에서부터 분노와 슬픔이 터져 나왔다.

윤영은 거세게 몸부림치기 시작했다. 자유롭지 못한 오른팔을 휘두르는 모습은 한쪽 날개가 꺾인 작은 새처럼 처절했다. 불안정하게 움직이던 몸에 부딪힌 작업대가 쓰러지며 붓과 오일 통이 바닥으로 쏟아져 내렸다. 물감을 가득 짜 놓은 팔레트는 캔버스를 세게 치고 윤영의 발치로 떨어졌다. 아끼던 색들은 고통을 새기듯 바닥에 무질서한 무늬를 남겼다. 아슬아슬하게 걸려있던 캔버스는 몸을 비트는 윤영의 위로 떨어지며 등 뒤를 덮쳤다. 텅 빈 작업실에는 절규만이 공허하게 울려 퍼졌다. 무력감은 온몸을 바닥으로 뭉개듯 짓눌렀고 지쳐버린 윤영은 바닥에 축 처져 버렸다.

얼마간의 시간이 흐르자 차가운 바닥이 윤영에게 작업실을 떠나라고 밀어내는 것 같았다. 여전히 덜덜 떨리는 팔로 바닥을 짚고 천천히 몸을 일으켜 앉았다. 주변은 제멋대로 자국을 남긴 물감들로 가득했다. 캔버스에도 고통의 흔적만 남아있었다. 윤영은 그대로 작업실을 떠났다. 빗줄기는 어느덧 거세게 땅을 두드리고 있었다. 집으로 걸어가는 내내 날카로운 빗발이 온몸에 깊게 상처를 남기는 것 같았다.

지유는 윤영의 집 근처에서 우산을 들고 서성이다가 곧 윤영을 발견했다. 완전하게 젖은 윤영의 몸에는 거센 비에도 물감들이 껌딱지처럼 달라붙어 그 존재를 확실하게 드러내고 있었다. 지유는 망설임 없이 윤영의 팔을 붙잡고 빠르게 집 안으로 이끌었다. 걱정이 가득 담긴 목소리로 아까 작업실에 들렀다가 다시 무슨 일이 일어난 줄 알고 얼마나 놀랐는지 아느냐고 타박했다. 그러나 윤영은 아무런 대답도 하지 않고 그 자리에 우두커니 서 있을 뿐이었다. 흠뻑 젖은 윤영의 머리카락은 뱀처럼 숨 막히게 얼굴에 달라붙어 있었다. 시체처럼 창

백해진 피부에 비어있는 눈동자는 아무것도 보지 못하는 것처럼 흐릿했다. 눈물인지 아니면 빗물인지 모를 투명한 액체가 얼굴을 따라 흘러내리며 발치에 고여서 점차 크기를 키웠다. 지유는 윤영이 그 웅덩이 안에 빨려 들어갈 것만 같은 기분이 들어서 몸서리쳐졌다. 재빨리 갈아입을 옷과 수건을 챙긴 후 윤영을 욕실로 밀어 넣었다.

샤워기에서 쏟아지는 물줄기가 머리부터 발끝까지 감싸며 흘렀다. 한참 동안 움직이지 않자, 비를 맞으며 차게 식었던 체온이 점차 원래대로 돌아오는 것 같았다. 윤영은 마음이 조금 진정된 듯 천천히 샤워볼에 거품을 내기 시작했다. 몸에는 얼룩덜룩하게 기름진 유화물감들의 흔적이 가득했다. 피부를 문지르며 남아있는 색들을 모조리 지워버리고 싶었지만 쉽지 않았다. 힘을 주어 여러 번 닦아야 겨우 일부 색이 사라졌다. 그렇게 오랫동안 함께 해 온 삶의 일부분들이 점차 의미 없이 사라지고 있었다. 윤영은 다시 울컥 눈물을 쏟았다.

수건으로 몸의 물기를 닦기 시작했다. 피부 곳곳에는 지우려 한 흔적들이 아직 희미하게 남아 있었다. 윤영은 등 뒤로 손을 돌려 수건으로 가볍게 훑었다. 등을 닦아낸 수건에는 미처 지우지 못한 색들이 묻어났다. 수술 부위는 힘 주어 닦기도 힘들었고 손이 잘 닿지도 않았다. 게다가 직접적으로 등을 볼 수도 없으니 당연한 결과였다. 욕실의 거울에 등을 비추어 보았다. 단단하게 굴곡진 등의 흉터 위로 미처 닦아내지 못한 물감들이 묻어있는 모습이 꼭 험난한 능선 위에 내려앉은 낙엽들 같았다. 윤영에게 결함을 안겨주고 꿈에 다가서는 것을 막아서던 흉터였다. 남에게 드러날까봐 두려워 움츠리게 만들고 자신의 불완전함을 받아들이기 싫어서 외면했던 흉터였다. 그런 흉측한 흉터가 꼭 다른 풍경처럼 보였다. 윤영은 한동안 거울에서 눈을 뗄 수가 없었다. 몸을 비트는 미세한 움직임과 함께 등의 흉터도 살아있는 것처럼 꿈틀거렸다. 능선 위의 나뭇잎들도 물결쳤다. 윤영의 머릿속에는 현대미술사 수업 때 교수님이 했던 말이 떠올랐다.

"현대미술에는 경계가 없죠. 그 어떤 오브제도 캔버스가 될 수 있고 그 자체로 작품이 될 수 있습니다."

욕실을 나오자 여전히 걱정스러운 표정을 한 지유가 달려왔다. 지유는 아무런 말도 하지 않고 윤영을 따뜻한 찻잔이 놓인 식탁에 앉혔다. 캐모마일 향기가 긴 숨과 함께 깊숙하게 퍼졌다. 윤영은 차를 한모금 넘긴 후 지유에게 작업실에서 느꼈던 좌절감에 대해 담담하게 이야기하기 시작했다. 지유는 흔들리는 눈동자로 윤영을 바라보며 할 말을 찾지 못하는 것처럼 보였다. 윤영은 미소를 짓고 지유를 바라보며 말했다.

"그런데 너에게 보여주고 싶은 것이 있어."

찻잔을 내려놓은 윤영은 자리에서 일어선 후 지유 앞에 서서 등을 돌렸다. 그리고 걸치고 있던 티셔츠를 들어 올려 등을 드러냈다. 지유는 예상치 못한 흉터의 크기와 모양에 깜짝 놀랐다. 그리고 곧 윤영의 왜소하고 마른 등 위로 커다란 운석이 떨어진 것 같다고 생각했다. 이 충돌의 충격으로 생겨난 파편 같은 흉터 위로 아직 흔적이 남아있는 물감들이 보였다. 행성 간의 격돌로 인해 죽음이 내려앉은 풍경에 새로운 생명이 싹트고 있었다.

윤영은 다시 작업실로 돌아와 거대한 캔버스 앞에 섰다. 새롭게 짠 하얀 캔버스 위에서 그의 붓질은 솔직한 감정을 그대로 담기 시작했다. 등의 통증과 떨려오는 손으로 표현되는 날 것의 형태는 오히려 윤영의 고통에 더 집중하게 했다. 온몸이 땀으로 뒤덮이고 팔이 더 이상 들어 올려지지 않을 때까지 멈추지 않고 색을 더해 갔다. 그 후 윤영은 흉터가 선명하게 드러난 등을 그대로 캔버스에 대고 조금씩 몸을 비틀었다. 그 움직임으로 캔버스 위에는 흉터 자국이 패턴처럼 남았고 등에는 고통의 순간들이 색으로 옮겨졌다. 윤영은 등의 굴곡이 더 잘 보일 수 있도록 곳곳에 물감이 묻은 흉터를 옆에서 바라보는 각도로 사진을 찍었다. 사진 속에서 흉터는 더 이상 끔찍한 모습이 아니었다. 그것은 세월에 따라 자연스럽게 형성된 능선이기도, 주변에 흐드러지게 핀 꽃과 나무 잎사귀들을 품은 또 다른 풍경이기도 했다. 윤영의 등은 그의 이야기를 담은 캔버스가 되었다.

　전시 첫날, 윤영은 긴장된 발걸음을 옮겨 갤러리로 향했다. 전날 작품 설치를 완료하고 몇 번이나 확인했음에도 떨림은 점점 더 심해졌다. 전시장 입구에 붙어있는 포스터에는 H예술재단의 신진 미술인이라는 타이틀과 그녀의 이름이 선명하게 새겨져 있었다. 윤영은 깊게 숨을 내쉬며 마음을 다잡고 전시장 안으로 들어섰다.

　사방이 새하얀 벽과 잘 정돈된 바닥으로 둘러싸인 넓은 공간에 윤영의 작품들이 자리하고 있었다. 천장에서부터 은은하게 내리쬐는 조명을 받는 그림들은 초기작부터 최근 작품에 이르기까지의 순서로 걸려있었다. 섬세하게 풍경을 묘사하며 내면세계를 따뜻하게 품고 있는 그림들을 지나자 완전하게 다른 스타일의 그림들이 나타났다. 관람객들은 걸음을 멈추고 윤영의 키만큼 큰 캔버스 중앙에 찍힌 패턴을 자세히 살펴보았다. 벽 전체를 차지하며 여러 개가 걸려있는 거대한 캔버스에는 무겁게 짓누르는 듯한 색들이 거칠게 혼합되어 있었고 중심부에는 비슷한 패턴들이 찍혀 있었다. 그 옆으로 꺾어진 긴 벽에는 사진들이 이어져서 하나의 풍경을 보여주었다. 울퉁불퉁하게 굴곡진 능선 같은 풍경 안에는 바위나 계곡같이 보이는 것들도 자리했고 그 위에 꽃잎과 나뭇잎이 쌓여있는 듯했다. 몇몇 관람객들은 캔버스 위의 패턴이 사진 속 풍경과 같다는 것을 알아차렸다.

윤영은 조용하게 작품을 감상하는 관람객들을 살폈다. 처음에는 그들이 무슨 생각을 하는지 궁금했다. 그러나 이내 몇몇 작품 앞에서 걸음을 멈추고 한참을 들여다보는 모습에 왠지 모를 안도감이 피어올랐다. 시간은 벌써 저녁 6시를 가리키고 있었다. 마지막 작품을 선보일 시간이었다.

윤영은 등의 흉터가 드러나도록 흰 셔츠를 반대로 갈아입은 후 전시 공간의 중앙으로 걸어갔다.그곳에는 빈 의자 하나와 여러 개의 물감통이 놓여있었다. 관람객들은 벽에 걸린 작품들을 감상하고 있었기 때문에 자연스럽게 윤영의 주변을 빙 둘러서 서게 되었다. 윤영이 의자에 앉자 등의 흉터를 발견한 사람들이 놀라는 소리가 곳곳에서 터져 나왔다. 언뜻 징그럽다고 속삭이는 소리를 들은 것도 같았다. 두 눈을 질끈 감고 옷자락을 힘껏 쥐며 긴장을 떨쳐 버리려 애썼다. 윤영의 정면에는 패턴들이 찍힌 캔버스들이 걸려 있었다. 사람들은 그제야 그림 속 패턴의 정체를 알아차렸다.

이윽고 조용해진 전시장 안으로 에릭 사티의 짐노페디 음악이 흐르기 시작했다. 느리게 공간을 채우는 음악은 왜소하게 드러난 윤영의 등과 그 안에 크게 자리 잡은 흉터를 더욱 비통하게 만드는 것 같았다. 아무런 움직임 없이 어찌할 바를 몰라 당황한 사람들 틈에서 지유가 걸어 나와 제일 먼저 윤영에게 다가갔다. 지유는 파란색 물감통에 담겨있던 붓을 들고 흉터 라인을 따라 선을 그리기 시작했다. 그 위로 하늘색과 흰색으로 몇 개의 선을 덧칠하고 나자, 흉터는 점차 흐르는 강으로 변모했다. 살짝 느껴지는 한기에 윤영이 몸을 움찔거리자 등에서 강이 물결치는 것처럼 꿈틀거렸고 순간 감탄의 소리가 새어 나왔다.

지유가 뒤로 물러서자 어린아이가 엄마의 손을 붙잡고 윤영에게 향했다.

"언니, 여기가 왜 이렇게 됐어요?"

아이는 윤영의 등 뒤에서 또박또박 소리를 내어 질문을 했다. 윤영은 자신을 아프게 한 것들을 떼어내느라 흉터가 생겼다고 대답했다. 아이는 이제 아프지 않다는 말에 안도한 듯 자신도 그림을 그리고 싶다고 말했다.

아이는 작은 손가락에 노란색 물감을 묻혔다. 부드러운 손길이 윤영의 흉터 위를 조심스럽게 쓰다듬었다. 아이의 손길이 지나간 자리에는 흐르는 강 위를 따라 물결치는 꽃들이 소박하게 피어났다. 어떤 사람은 하늘에서 떨어지는 나뭇잎들을 그렸고 또 다른 누군가는 흉터 위의 여백에 어두운 밤하늘과 반짝이는 별들을 그렸다. 서툰 손길들은 따뜻하게 흉터를 어루만지며 점차 새로운 풍경을 만들어 나갔다.

시간이 흐르자, 사람들은 변화된 윤영의 흉터를 작품처럼 감상하기 시작했다. 몇몇은 자리에 그대로 앉아서 등에 그려진 풍경을 하염없이 바라보기도 했다. 그 순간에 윤영은 완전하게 긴장이 사라졌음을 느꼈다. 그동안 답답하게 느껴졌던 자신의 결함이 타인의 손길들로 새로운 역할을 부여받으며 온전하게 채워진 것 같았다. 입가에 슬며시 미소가 번졌다. 윤영은 눈을 감고 전시장을 채우고 있는 음악에 집중하기 시작했다. 처음에는 슬프고 외롭게 반복되던 음률에 점차 꿋꿋한 힘이 채워지는 것처럼 느껴졌다.

윤영은 서서히 자리에서 일어나 음악에 맞추어 자연스럽게 몸을 움직이기 시작했다. 여전히 통증은 간간히 느껴졌지만, 그보다 훨씬 큰 해방감과 홀가분해진 마음이 주변을 감쌌다. 윤영은 관객들 사이를 거닐고 캔버스들을 스쳐 지나며 몸을 비틀거나 팔을 움직였다. 몸의 움직임에 따라 등에 채워진 풍경도 살아서 숨을 쉬었다.

그 순간, 윤영은 비로소 완전히 자유로워졌음을 느꼈다. 더는 결함투성이의 날개 꺾인 작은 새가 아니었다.

윤영은 처음부터 그랬듯이 그 자체로 온전한 윤영이었다.

2번째 단편: 길 잃은 자

젖은 머리를 수건으로 몇 번 탈탈 털어내고 군데군데 물기로 짙어진 회색 수건을 세탁기 안으로 던져 넣었다. 그리고 바로 옆에 자리한 낡은 냉장고의 문을 열었다. 냉장고는 시간의 무게를 견디다 못해 이미 그 기능을 상실한 지 오래다. 그 안에 아무리 두어도 그다지 차가워지지 않는 맥주를 꺼냈다. 습관적으로 세게 문을 닫자 무언가 발치에 힘없이 툭 떨어졌다. 며칠 전 주재에게서 받은 여행 마그네틱이었다.

민재는 허리를 숙여 그 작은 기념품을 손에 쥐고 다시 한번 찬찬히 살펴보았다. 퍼즐 조각처럼 생긴 건물의 양옆이 레고 블록처럼 솟아 있는 구조가 '비읍' 자를 연상시켰다. 한 쌍씩 나란히 길게 뚫린 창문과 세밀하게 새겨진 장식을 손가락으로 가볍게 쓸자 까슬한 돌의 질감이 느껴졌다. '노트흐담' 이라고? 주재가 가르쳐 준 발음을 따라 하려고 했지만, 그 시도가 얼마나 우스꽝스러웠는지 민재는 저도 모르게 소리 내어 웃었다. 고요한 숙소 안을 가르며 유독 크게 울리는 웃음소리는 곧 목에 걸린 가시처럼 불편한 이질감을 느끼게 했다.

주재는 프랑스에서 'r' 발음을 'ㅎ'처럼 한다며 목을 긁듯이 소리를 내었다. 민재는 주재를 따라해보고 싶었지만 쉽지 않았다. 꼭 가래가 끓는 소리 같았다. 주재는 골초들이 많은 프랑스라서 소리도 그런 것 같다며 숨어 있던 하얀 이를 가지런히 드러내고 웃었다. 주재는 프랑스에 가도 지금은 이 노트르담을 볼 수 없다고 했다. 첨탑을 수리하다가 누군가의 실수로 화재가 일어났고 아직도 수리 중이라고.

"아마 이다음에 완성될 노트르담은 이전 모습과 다를 거야. 세월이 흐르면서 이미 그 모습이 여러 번 바뀌었거든. 사람들이 본래 모습을 무시하고 함부로 수리하고 파괴해서 말이야. 빅토르 위고가 제 모습을 거의 잃은 성당을 안타까워했었대."

이번에도 주재는 민재가 알지 못하고 있던 이야기를 들려 주었다.

이 마그네틱에는 상아색 빛깔의 건물을 중심으로 위에는 맑은 하늘색이, 바닥에는 푸른 잔디밭과 Notre Dame이라는 글자가 새겨져 있었다. 민재는 까슬한 질감을 느끼며 그것을 다시 냉장고 문에 붙였다. 세월의 흔적을 따라 누렇게 변한 냉장고 문 위에 자리 잡은 노트르담은 전혀 다른 세계의 창문 같았다. 한 번도 가본 적 없는 미지의 세계. 한국을 벗어난 적이 없는 민재였지만, 왠지 프랑스가 친근하게 느껴졌다.

민재는 두어 걸음 물러나 식탁에 자리를 잡고 미적지근한 맥주를 한 모금 넘겼다. 그의 시선은 냉장고 문에 붙어있는 마그네틱으로 향했다. 가만히 바라보고 있자, 항상 커튼을 치고 있어서 낮인지 밤인지 구분이 되지 않는 이 비좁은 숙소의 유일한 생명처럼 느껴졌다. 동시에 단조로운 무채색투성이의 민재를 더욱 어둠 속으로 밀어 넣는 것 같았다.

*

　그 공장은 서울의 분주함과는 한참 거리가 먼 외곽에 자리하고 있었다. 어린 시절 할아버지 댁을 찾았던 기억을 떠올리게 하는 풍경 속의 이 건물은 종이상자를 가지런히 접어놓은 것처럼 네모반듯했다. 건물은 두 개의 층으로 이루어졌고 그 규모는 크지 않았다. 외벽은 시간의 흔적을 새긴 듯 하얀 페인트가 약간 벗겨져서 군데군데 회색 콘크리트가 드러났고 철제문 역시 오랜 세월을 견뎌낸 듯 여닫을 때마다 거친 소리를 내며 존재감을 알렸다. 낡긴 했지만 그래도 주변 정리를 깨끗이 해서인지 세월에 비해 잘 관리된 모습이었다. 공장 외에 보이는 것이라고는 넓게 펼쳐진 논밭과 간간이 보이는 비닐하우스, 그리고 느지막이 문을 열었다가 금방 닫아버리는 작은 구멍가게가 전부였다.

　민재는 이곳에서 벌써 십 년째 일하고 있었다. 대학만 졸업하면 당연하게 서울에 있는 괜찮은 회사에 취직할 줄 알았다. 그리고 알뜰살뜰 돈을 모으다가 결혼하고 자식도 하나 정도 낳겠지 생각했었다. 그러나 바람과는 다르게 번번이 취업에서 미끄러졌고 오피스텔 풀옵션에서 빌라 원룸으로, 반지하 방으로, 고시원으로 거처를 옮길 수밖에 없었다. 서울의 이 넓은 땅덩이에 촘촘하게 꽂혀 있는 빌딩들은 민재를 제외하고 그 나머지 사람들만 선택했다. 그가 완벽하게 패배감을 느낀 그날도 여느 날과 다르지 않았다. 그날, 민재는 어김없이 높은 건물의 면접장에 앉아 있었다. 늘 그렇듯 차례를 기다리며 할 수 있는 일은 창밖을 멍하게 바라보는 것뿐이었다. 유리 너머에 빽빽하게 펼쳐진 빌딩 숲들이 점점 민재에게 거대한 압박감으로 다가왔다. 초조하게 면접을 기다리는 그의 모습이 더없이 초라하게 느껴지고 부모님의 끝없는 잔소리가 머릿속을 울렸다. 점점 비어가는 통장 잔고에까지 생각이 미치자, 탈출구 없는 벽이 다가와 마음을 무겁게 짓눌렀다. 숨이 막히고 현기증이 몰려왔다. 구역질이 치밀어 올라서 견딜 수 없는 충동을 느낀 민재는 면접장을 뛰쳐나와 고시원 방 안으로 도망치듯 돌아왔다. 그 후로 한동안 문밖으로 나가지 못했다. 근처에 있는 편의점에서 파트타임 아르바이트를 하며 빠듯하게 생활비를 벌던 그는 결국 일자리마저 잃었다. 도무지 앞날이 그려지지 않던 절망의 순간, 그저 이 감옥 같은 곳을 탈출하고 싶어서 찾아낸 곳이 바로 이 공장이었다. 처음에는 동기들의 취업 소식을 들을 때마다 공장에서 일하는 것이 부끄럽게 느껴졌다. 그러나 시간이 지나면서 그 부끄러움은 점차 희미해졌다. 동기들과의 연락과 모임도 서서히 끊겼다. 하루에 한 번은 꼭 타서 마셨던 커피믹스의 달짝지근함이 사라지고 입안에 텁텁함만 남게 된 지도 오래다. 일주일에 한 번 반찬을 보냈다는 엄마가 걸어오는 짧은 전화 통화만이 그나마 세상과 연결되어 있다는 안도감을 느끼게 했다. 나쁘지 않은 삶이다.

언제나 같은 시각 오전 7시 45분, 조용한 어둠을 확실하게 잘라내는 알람 소리가 요란하게 방 안을 울렸다. 민재는 알람이 채 세 번도 울리기 전에 미간을 찌푸리며 잠에서 깨어났다. 눈을 뜨지 않아도 그의 손은 자동으로 핸드폰을 찾아 알람을 멈췄다. 기지개를 켜며 밤사이 온몸에 내려앉은 찌뿌둥함을 털어 버리려 했지만, 썩 개운하지 않았다. 그래도 이제 일어나야 할 시간이었다.

그의 눈이 서서히 적응하면서 방 안의 물건들이 윤곽을 드러냈다. 프레임도 없이 매트리스만 올려 둔 낮은 침대 옆에는 같은 높이의 검은색 협탁이 있었다. 그 위에서부터 벽 끝까지 걸려있는 옷걸이도, 1인용 책상과 의자, 식탁까지도 검은색이었다. 도망치듯 공장으로 와서 제공받은 이 숙소는 세상에 혼자 남겨진 그처럼 텅 비어 있었다. 민재는 월급을 받을 때마다 하나둘 필요한 가구들을 채워 나가며 지금의 모습을 만들었다. 사실 때가 타도 티가 잘 나지 않을 것으로 생각해서 검정을 선택했는데 생각보다 먼지나 손자국들이 눈에 잘 띄었다. 민재는 회색을 살 걸 그랬다고 나지막하게 중얼거렸다. 이다음에 이사하게 되면 꼭 가구를 바꾸겠다는 기약 없는 다짐을 하며 침대에서 일어났다.

식탁을 지나며 다섯 발짝을 걸으면 바로 싱크대 위에 놓인 검은색 커피포트 앞이었다. 민재는 손을 뻗어서 바로 옆 옷걸이에 걸어 둔 외투의 주머니를 뒤적거렸다. 사무실의 정수기 옆에서 아무렇게나 집어 온 싸구려 커피믹스를 두 개 꺼낸 후, 한쪽 이가 나간 머그잔에 털어 넣었다. 그사이에 팔팔 끓어버린 물을 적당히 붓고 세 걸음 옆의 욕실에서 샤워를 했다. 샤워를 마치고 나오면 커피가 적당히 식어서 빠르게 마시기 편했다.

요즘같이 추운 날씨에는 꼭 두꺼운 양말과 타이즈를 입고 시장표 기모 트레이닝 바지를 입었다. 이렇게 짱짱한 바지가 만원이라니 정말 최고의 가성비가 아닐 수 없다. 영하 17도의 날씨도 거뜬하게 이겨낼 수 있다.

보통 때 같으면 숙소에서 공장까지 걸어서 15분이면 충분하겠지만, 밤사이 길을 하얗게 덮어버린 눈 때문에 조금 서둘러 집을 나섰다. 오전 8시 30분, 겨울 아침의 차가운 공기가 볼을 스치며 빨갛게 물들였다. 발등 높이까지 쌓인 눈은 포장되지 않은 흙길 위의 걸음을 느리게 만들었다. 민재는 땅만 바라보며 쌓인 눈을 뽀득뽀득 천천히 밟아 나가기 시작했다. 각 걸음마다 신중을 기해야 했다. 얼어붙은 길을 잘못 밟았다가 미끄러져 다치기라도 하면 큰일이었다. 읍내까지 나가서 버스를 타고 병원에 가야 하는 최악의 시나리오는 상상만으로도 몸서리가 쳐졌다. 발끝에 점점 더 힘이 들어갔다. 어찌나 집중했는지 등 뒤에는 송골송골 땀이 맺혔다. 아니, 어쩌면 그의 집중력보다는 역시 시장에서 산 바지의 위력일 것이다.

8시 55분, 어느새 공장의 무거운 철문 앞에 도착했다. 서리가 내린 출입문 위로 고드름들이 길게 늘어져 있었다. 매달린 고드름들을 기다란 막대기로 툭툭 치자 유리가 깨지는 듯한 파열음과 함께 작은 파편들이 얼어붙은 땅 위로 쏟아졌다. 민재는 그 위를 발로 대충 쓸며

곧장 1층의 배합실로 향했다. 공장 내 다른 구역에도 직원들이 출근했겠지만, 굳이 들러서 인사를 할 만큼 살가운 성격은 아니었다.

민재는 한기가 느껴지는 탈의실에서 작업복으로 갈아입고 에어건으로 몸 위의 먼지들을 털어 냈다. 작업장 문으로 향하는 길에는 반투명의 파란 공업용 포장 비닐이 깔려 있었다. 그 위를 걸으면 미처 털어내지 못했던 고무장화에 붙은 먼지들까지 완벽하게 제거되었다. 작업장에는 이미 도착한 상훈이 컴프레셔의 물을 빼주고 있었다. 몇 달 해봤다고 이제는 제법 능숙하게 기계를 다루는 노련한 기술자 같았다.

"역시 젊단 말이지."

민재는 칭찬처럼 툭 내뱉는 말로 인사를 대신하고 상훈은 씩 웃으며 가볍게 목례했다. 민재는 상훈이 대학생일 때 이곳에서 처음 만났다. 상훈은 방학을 맞아 용돈벌이로 이곳에서 아르바이트를 했었다. 개강과 함께 공장을 떠나며 국가고시를 준비한다고 하더니, 어느 날 다시 공장으로 돌아왔다. 민재는 상훈의 선택에 대해 굳이 묻지 않았지만 그의 결정 뒤에 숨은 이유를 어렴풋이 짐작할 수 있었다. 하지만 다른 공장 사람들은 늘 상훈의 결정에 잔소리하며 한마디씩 보탰다. 그래서인지 상훈은 작업 일정을 늘 민재에게 맞추었다. 이후 둘이 함께 작업하는 날들이 많아졌다. 이제는 굳이 설명하지 않아도 톱니바퀴가 돌아가듯 각자의 역할을 적절하게 수행하는 관계가 되었다.

민재가 180kg이 넘는 파란 드럼통을 옮기려고 움직이면 상훈은 안정적으로 팔레트에 드럼통을 고정했다. 뚜껑을 열고 조액통에 액체를 넣을 때는 미리 비닐장갑을 준비하고 반대편에서 균형을 맞추어 액체가 밖으로 흐르지 않게 했다. 이제 남은 일은 드럼통에서 풍기는 지독한 냄새를 견디기 위해 간헐적으로 숨을 참는 것뿐이었다. 그리고 이 과정을 똑같이 다섯 번 더 반복하면 되었다. 모든 것은 예측할 수 있는 순서로 배열되어 있었다. 마치 민재의 삶에 그 어떤 변화도 허용되지 않는다는 듯이 늘 그렇게 무덤덤하게 흘러갔다.

작업에 몰두할 때면, 민재는 점차 자신이 사라져서 공장 기계 안의 부품으로 녹아드는 상상을 했다. 밸브의 작은 잠금장치에서 액체를 섞기 위해 진동하는 모터의 톱니바퀴로, 조액통의 입구를 막는 뚜껑으로, 무거운 것들을 옮기기 위한 팔레트의 나무판자로… 민재는 쓰임이 다해 버려지는 나뭇조각으로 생각이 이어지지 않도록 무던히 애썼다. 벌써 마지막 조액통의 작업이 끝나가고 있었다. 콧등까지 땀이 송골송골 맺히는 이때쯤이 되면 시계를 보지 않아도 그 시간을 짐작할 수 있다. 오전 11시 55분. 오늘도 한 치의 오차 없이 오전의 정해진 루틴을 끝냈다.

상훈은 식판에 제육볶음을 산더미처럼 쌓아놓고 서둘러 입안을 채웠다. 그는 입안의 내용물을 다 씹어서 넘기기도 전에 상추 꽁다리를 살짝 뜯어내고 손바닥 위에 펼친 후 세 차례에 걸친 젓가락질로 고기를 쌓았다. 그 옆으로 흰 밥을 한 숟가락 듬뿍 떠서 올리고 얇게 썰린 마늘에 쌈장을 찍어 밥 위에 내려놓았다. 민재는 그런 상훈의 모습이 마치 케이크에 마지막 장식을 올리는 제빵사 같다고 생각했다.

"아니, 제빵사야? 오늘도 투잡 중이네."

"아뇨, 아뇨, 주임님! 더 있어 보이게 파티시에라고 불러 달라니까요."

상훈은 민재의 말에 가볍게 응수하면서 입안의 음식을 마저 꿀꺽 삼켰다. 그리고 다시 크게 입을 벌려 두 손으로 쌈을 밀어 넣었다. 상훈은 입을 우물거리며 정확하지 않은 발음으로 금요일을 좋아한다고 했다. 우리 구내식당에서 제일 맛있는 음식이 제육이라며 다른 요일에도 계속 제육이 나오면 좋겠다고 덧붙였다.

"누가 안 쫓아온다. 천천히 먹어."

"이 짧은 점심시간 안에 제육을 많이 먹으려면 빨리 먹는 것 말고는 방법이 없다니까요."

상훈이 금요일마다 되풀이하는 대답 끝엔 항상 침묵이 찾아왔다. 식당 안의 다른 테이블에서도 사람들은 별다른 말 없이 조용하게 식사에 집중할 뿐이었다.

갑자기 침묵을 깬 것은 상훈이었다. 이번 여름에 받는 첫 휴가로 여행을 떠나고 싶다고 했다. 주말을 끼면 일주일 정도 되니까 유럽에 가볼까 한다는 그의 말에서 기대감이 묻어났다.

"역시 유럽 하면 파리를 가는 게 좋겠죠?"

상훈의 말에 민재는 몸이 움찔거렸다. 상훈은 다시 쌈을 입에 넣고 우물거리면서 여행 계획을 설명했다.

"에펠탑을 보고 센강을 걸으면 저도 파리지앵 아니겠어요? 거기 바게트가 그렇게 맛있다고 하니까 한번 사 먹어 보려구요. 루브르에서 그 유명한 모나리자도 보고, 노트르담 성당도 가고 싶은데 일주일 안에 다 할 수 있겠죠?"

"거기 아직 공사 중이라 성당은 보지 못할 텐데."

민재가 저도 모르게 툭 말을 뱉었다. 평소라면 별다른 대꾸를 하지 않던 민재였기에 상훈이 우물거리던 동작을 잠시 멈추고 민재를 쳐다보았다. 멋쩍어진 민재는 괜히 젓가락으로 식판 위의 반찬들을 뒤적거리며 말을 이었다.

"그래도 노트르담에 가게 되면 성당 앞 광장에 가봐. 사람들이 많이 몰리는 곳이 있을 건데, 거기 바닥에 동그랗게 발판처럼 생긴 게 있거든. 푸앙 제로라고 부르는데 영점이라는 뜻이야. 파리에서 거리 측정의 기준이 되는 곳. 그 가운데에 황동 판이 있는데, 거기를 밟으면 다시 파리에 돌아오게 된다는 이야기가 있대. 다들 한 번씩은 거기에 발 도장을 찍더라고."

민재는 문득 공장에 온 이후로 자신이 이렇게 길게 혼자 이야기 한 적이 있었나 의문이 들었다. 그래도 멈추지 않고 말을 이었다.

"간 김에 노트르담 근처에 있는 생샤펠 성당까지 보고 와. 거기가 스테인드글라스로 꾸며진 성당인데 유럽에서 제일 예쁜 성당이야. 그 성당 안으로 햇살이 들어올 때 진짜 멋있더라."

민재는 직접 보고 온 듯이 주재가 해준 이야기들을 그대로 줄줄 읊었다. 그냥 그 순간에 민재는 그가 프랑스에 있었던 것 같은 착각에 빠졌다. 상훈이 경험자의 조언이냐며 감탄하자 민재는 순간적으로 당황했다. 괜한 헛기침을 하며 식사에 집중하는 척했지만, 귀까지 벌겋게 달아오른 것이 느껴져서 고개를 들지 못했다. 왜 이런 말들을 했는지 잠깐 후회했지만 상훈의 감탄이 싫지 않았다. 마침, 주변 사람들이 부산하게 일어나기 시작했다. 금방 점심시간이 끝나서 다행이었다. 민재와 상훈도 자리에서 일어나 사람들을 따라서 식판을 정리하고 다시 작업장으로 향했다. 오후 업무를 수행하는 민재의 하루는 늘 그렇듯 순서대로 조립되고 있었다.

*

"벌써 6시여?"

공장 앞 작은 구멍가게에 들어서자 주인 할머니가 익숙한 눈길로 알은체했다.

"멀쩡하게 생겨 가지구 왜 만날 연애두 안 한다야? 또 라면이여?"

할머니는 냉장고에서 맥주 한 캔을 꺼내 민재에게 건넸다. 그리고 대답을 듣지도 않은 채 가게에 딸린 쪽방 문을 열고 부르스타를 꺼냈다.

매주 금요일, 민재는 퇴근 후에 늘 구멍가게에 들러서 맥주 한 캔과 라면으로 저녁을 때웠다. 금요일 오후 업무는 몸을 쓰는 대신 가만히 앉아서 컨베이어 벨트 위를 지나는 필름에 불량은 없는지 확인하는 게 다였다. 하지만 눈을 부릅뜨고 몇 시간이나 똑같이 생긴 필름을 쳐다보고 있는 것은 생각보다 피로도가 높았다. 집으로 돌아가서 냉장고에 들어있는 반찬을 꺼낼 여력조차 없어지는 것이다. 민재는 뻑뻑해진 눈을 부비며 누렇게 뜬 장판이 깔린 평상에 앉았다. 엉덩이에서부터 등을 타고 한기가 서서히 올라왔다. 어깨를 바짝 올리고 몸을 떨자, 할머니가 파를 송송 썰어 넣고 그 위에 고춧가루를 한 번 더 뿌린 라면을 노란 양은 냄비에 담아 가져왔다. 김이 모락모락 올라오는 라면 옆에는 항상 삶은 달걀 세 개가 따라왔다. 오늘도 춘봉이가 닭알을 가져다줬다며 더 먹고 싶으면 가져다 먹으라는 말을 끝으로 할머니는 쪽방으로 들어가 문을 닫았다. 칼칼한 라면을 몇 번 후루룩거리면서 입안으로 넘기니 금방 등에서부터 후끈한 기운이 퍼졌다. 공장 기계가 돌아가는 소음도 멈추고 개 짖는 소리도 들리지 않는 조용한 시간도 잠시, 누군가가 뽀득뽀득 눈을 밟으며 다가왔다.

"형, 오늘도 라면이야?"

주재는 살갑게 웃으며 민재의 맞은편에 털썩 주저앉았다. 언제나 그랬듯 무턱대고 자리를 차지하는 그는 처음 만난 날도 그랬다.

타지 사람을 볼 일이 극히 드문 동네였다. 늘 똑같은 일상이 반복되고 정해진 루틴을 수행하면 하루가 끝나는 그런 곳이었다. 가끔은 시간이 멈춰 있는 것처럼 느껴지기도 했다. 아마 계절에 따라 풍경의 색이 바뀌지 않는다면 정말 시간의 흐름 따위는 신경 쓰지 않아도 살아갈 수 있을 곳이었다. 그래서 처음 주재를 맞닥뜨렸을 때, 눈에 들어온 풍경 속의 어색함이 경계심보다 더 큰 호기심을 불러일으켰다. 어깨까지 내려오는 긴 머리를 고정한 헤어밴드. 하얀 겨울과는 어울리지 않는 그을린 피부. 마른 듯했지만 다부진 몸집. 손가락에 끼워져 있는 크기가 다른 까만 반지들. 헐렁한 카키색 배기바지에 알록달록한 운동화를 신은 그의 모습은 이 공간과는 전혀 어울리지 않았다. 그때에도 그는 가지런한 하얀 이를 드러내며 웃었다. 주재는 프리랜서 디자이너 겸 여행 작가였다. 주로 해외를 다니는 탓에 한국에는 어쩌다 한번 들른다고. 곧 여행 에피소드들을 담은 책을 출간할 예정이라서 아주 오랜만에 할머니 댁을 찾았다. 주재는 이곳이 집중해서 글을 쓰기 좋은 곳이라고 평했다. 그래서 봄이 오기 전까지 머물 생각인데 커피 한잔 마시기가 이렇게 어려울 줄은 몰랐다며 웃었다.

"여기까지 한 30분은 걸었을걸요."

시끄러운 소리에 주인 할머니가 쪽방 문을 열고 고개를 내밀었다.

"어르신, 여기 혹시 에스프레소는 없겠죠?"

주재는 별로 기대하지 않는 내색이었지만 웃음을 띠며 말했다.

"뭐? 에스비에스?"

할머니는 당연히 그런 건 이곳에 없다는 듯이 고개를 저었다.

"아이고 커피 말이에요."

"알아서 타 묵어."

할머니는 난로 위의 주전자를 손짓하면서 대답하고는 다시 쪽방 문을 닫았다.

"형, 무슨 생각해?"

주재는 따뜻한 커피가 담긴 종이컵을 민재에게 내밀었다. 이날 주재는 평소와 달리 긴 머리를 하나로 질끈 묶고 눈에 띄는 주황색 패딩을 입고 있었다. 머리를 묶은 탓에 드러난 그의 귀 아래에는 전에 보지 못했던 작은 거미 모양의 타투가 시선을 사로잡았다. 민재의 눈길을 의식한 듯 주재는 거미를 쓸어내리며 이야기했다.

"호주를 여행했을 때 애버리지니라고 불리던 원주민들을 만난 적이 있거든. 그 사람들이 자기들은 4만 년 전부터 그 땅에서 살아왔다고 하더라. 아무튼 그래서 무슨 전설이 엄청 많은 거야. 그중에서 거미 전설이 무척 마음에 들어서 타투를 했어."

그 전설에 따르면, 거미는 우주를 창조한 존재였다. 거미가 그물을 짜면서 우주를 처음 만들고 이후에 인간과 다른 생명들을 만들었다고. 눈을 반짝이며 이야기하는 주재의 머리 너머로 구멍가게의 처마 끝을 감싸고 있는 거미줄이 눈에 들어왔다. 이 지구에 얼마나 많은 우주들이 있는 걸까? 엉뚱하게 생각이 미치자 민재는 저도 모르게 히죽 웃어버렸다. 주재는 그런 민재를 보며 다시 말을 이었다.

"형, 이거 봐. 여기에 귀걸이를 하면 거미가 거미줄을 뽑아내는 것처럼 연결이 된다고. 진짜 멋있지 않아? 나도 막 우주처럼 창조되는 존재 같고 말이야."

주재를 통해 듣는 새로운 이야기들은 민재에게 늘 똑같이 보이는 주변을 다시 한번 관찰하게 했다. 처마를 감싸고 있는 거미줄 사이로 작은 거미가 모습을 드러냈다. 민재는 그래도 거미가 무서웠다. 주재는 거미만큼 사람한테 해를 끼치지도 않고 해충도 잡아주는 좋은 아이가 어디 있냐고 말했다. 민재는 언제부터 거미를 무서워했는지, 그 이유가 무엇인지 골똘히 생각해 보았지만 아무 이유도 찾을 수 없었다. 그러고 보니 주재의 말이 맞았다. 거미가 실제로 해를 끼치는 것을 본 적이 없었다. 민재는 거미가 좋은 아이로 설명되자 이유도 없이 거미를 무서워했던 자신의 모습이 우스꽝스럽게 느껴졌다.

"여기도 갈루아 벌레가 있네?"

민재는 주재의 손짓에 구멍가게 담벼락 아래에 쌓인 눈더미를 쳐다보았다. 하얀 눈 위로 밝은 갈색의 작은 벌레 한 마리가 기어가고 있었다. 머리에도 더듬이가 양 갈래로 뻗어 있고 꼬리에도 가시처럼 무언가가 브이 형태로 뻗어 있는 모습이었다. 주재는 미국을 여행했을 때 이 벌레를 처음 보았다. 워싱턴주의 스카 마니아 동굴 입구에서였다. 함께 갔던 가이드가 이 벌레에 대해 아는 체했다.

"고생대 페름기 때부터 살던 곤충이래. 빙하기 추위도 적응해서 지금까지 살아남았다는 거야. 진짜 생존력 하나는 끝내주는 것 같아. 지독한 환경도 견뎌내면서 적응해 왔다는 게."

이거야말로 살아있는 화석이 아니겠냐며 주재는 양손을 모아 그 벌레를 눈과 같이 퍼 올렸다. 민재가 공장을 오갈 때 흙길 위에서도 종종 보았던 벌레였다. 아무것도 몰랐을 때는 관심조차 없었는데 주재의 이야기를 들으니, 뭔가 대단해 보였다. 민재가 손으로 그 벌레를 살짝 건드리려 하자 주재가 말렸다. 추위에 적응한 벌레라서 사람의 체온에도 죽을 수 있다고 했다. 민재는 다 마신 종이컵에 약간의 흙과 눈, 그리고 갈루아 벌레를 담았다. 이걸 왜 담느냐는 주재의 말에 민재는 키울 거라고 대답했다. 주재는 눈이 휘둥그레져서 진짜 키울 생각이냐고 몇 번이나 되물었다. 그렇다고 대답하는 순간에도 민재는 사실 왜 그런 충동이 일었는지 알 수 없었다. 그럼에도 종이컵을 감싸 쥐고 자리에서 일어났다. 날은 이미 어둑해졌다. 아침보다 더 얼어붙은 흙길을 따라 숙소로 돌아가는 민재의 발걸음은 더욱 조심스러웠다.

*

집으로 돌아오면 항상 옷부터 갈아입던 민재였다. 피곤하고 뻑뻑하게 보낸 하루를 벗어내는 의식 같은 행위였고 그 순서가 바뀌었던 적은 없었다. 정해진 루틴을 벗어나는 것을 극도로 싫어하는 민재다운 행동이기도 했다. 익숙해진 환경을 바꾸는 것도 그다지 내켜 하지 않는 민재는 평소와 다르게 충동적으로 벌인 일을 잠깐 후회했다. 하지만 주재에게 내뱉은 말은 지키고 싶었다. 냉장고 위에 한가득 자리 잡은 플라스틱 통 중에서 적당한 크기를 찾아 바깥으로 들고 나갔다. 절반 정도 흙을 퍼 담고 그 위에 눈도 조금 올렸다. 어느 정도가 필요한 환경인지 알 수 없었지만, 이 정도면 괜찮을 것 같았다. 숙소로 돌아온 민재는 플라스틱 통에 종이컵 안의 내용물을 탈탈 털어 넣었다. 그 위를 비닐로 덮고 작은 숨구멍들을 뚫고 나자 집 안의 온도가 너무 높은 것은 아닌지 슬슬 걱정되기 시작했다. 고민 끝에 플라스틱 통을 냉장고에 넣고 문을 닫았다.

옷을 갈아입기 시작하자 점점 졸음이 몰려왔다. 민재는 침대에 파묻히듯 몸을 밀어 넣고 잠을 청하려 했지만 쉽게 잠들 수 없었다. 기능을 상실한 냉장고가 계속해서 신경이 쓰였다. 고요한 어둠이 민재의 몸을 무겁게 내리눌렀지만 생각을 멈추기 어려웠다. 결국 뒤척거리던 몸을 다시 일으켰다. 그리고 냉장고 안의 플라스틱 통을 식탁 위로 옮겼다. 눈앞에는 벽 위에 붙어있는 보일러 컨트롤러가 빨간 불빛을 내고 있었다. 민재는 곧 버튼을 눌러 그 빨간 불빛을 꺼버렸다.

이불을 더욱 꽉 잡아당기며 몸을 웅크렸지만 절로 눈이 떠졌다. 차가운 공기가 방안에 스며들어 남아있던 온기를 모두 빼앗아 버린 탓이었다. 추위가 온몸을 타고 흐르다가 코끝에 모인 듯 시리도록 추웠다. 민재는 어둠 속에서 핸드폰을 찾아 시간을 확인했다. 아직 날이 채 밝기도 전인 새벽 시간. 주말의 여유를 기대했던 것이 이런 식으로 무너지자 한숨이 새어 나왔다. 두꺼운 양말과 패딩 점퍼로 무장하고 방안을 서성였지만, 몸에 쌓인 한기를 털어내는 데에는 역부족이었다. 식탁 위의 플라스틱 통 안에는 갈루아벌레가 활발하게 흙 위를 기어다니고 있었다. 민재가 가까이 다가가자, 그 벌레는 측면에 파 둔 U자 모양의 작은 굴 틈새로 숨었다. 잠시 고민하던 민재는 다시 보일러 버튼을 누르고 이불 속으로 파고들었다.

화들짝 놀라며 눈을 떴을 때 벌써 정오를 훌쩍 넘긴 후였다. 패딩 점퍼를 입고 잔 탓에 등은 이미 땀으로 흠뻑 젖었다. 민재가 플라스틱 통을 들여다봤을 때 갈루아벌레는 움직임 없이 흙 위에 늘어져 있었다. 덜컥 겁이 나서 젓가락으로 살짝 건드렸더니 더듬이가 움찔거렸다. 민재는 다시 보일러를 꺼버렸다.

세탁기에 가득 차 있는 밀린 빨래들을 돌리면서 햇반 하나를 꺼내 전자레인지에 데우고 남은 반찬을 찾았다. 양은 냄비에 밥을 넣고 딱딱하게 뭉친 멸치볶음, 장조림 양념에 담겨 있는 메추리알과 함께 비볐다. 엄마는 민재가 좋아하는 반찬이라며 종종 장조림을 해서 보냈지만, 민재는 그것을 좋아하지 않았다. 아무래도 상관없었다. 엄마의 반찬들은 김치도, 멸치볶음도, 계란말이도, 장조림도 하나같이 무미건조하게 그 맛이 다 똑같았으니까. 그러다 문득, 민재는 갈루아벌레에게도 먹이를 줘야 한다는 사실을 떠올렸다. 그것이 무엇을 먹고 사는지 알 수 없었지만, 대충 핸드폰으로 검색해 보다가 밀웜을 주문했다. 택배를 받기까지는 삼사일 정도 기다려야 했다. 빙하기도 이겨냈다는데 며칠 굶는 것쯤은 괜찮겠지.

달달거리며 돌아가던 세탁기의 알림음 소리에 냉장고 틈에 접어 두었던 빨래 건조대를 펼쳤다. 옷들을 하나씩 널어놓자 좁은 집안은 이내 빨래로 가득 찼다. 늘 그렇듯 주말에는 딱히 해야 할 일도, 하고 싶은 일도 없었다. 민재는 주재를 떠올리며 집을 나섰다.

늘 걷던 흙길에 들어섰다. 갈림길도 없이 쭉 뻗은 단조로운 길은 별다른 선택지가 없는 민재의 삶과 닮았다. 발밑의 눈은 이제 얼어서 뽀드득거리는 소리도 내지 않았다. 무심코 땅만 내려다보며 걷다 보니 어느새 구멍가게 앞에 도착했다. 항상 그랬다. 아무리 움직여도 늘 익숙한 곳들 안에 갇혀 있었다. 이 길을 따라 더 걷는다고 할지라도 민재는 자기 삶에서 벗어날 수 있는 어떠한 도피구도 찾을 수 없을 것이다. 가게의 문은 잠겨 있었고, 평상 위에는 주재가 마셨던 커피의 흔적이 담긴 종이컵만 덩그러니 놓여 있었다.

"형, 내가 처음 이탈리아에 갔을 때 말이야. 가장 먼저 하고 싶었던 게 에스프레소를 마시는 거였어."

주재는 커피가 가득 담긴 종이컵을 감싸 쥐며 말했다. 민재는 뜨거운 김이 올라오고 있는 종이컵을 보자 주재의 손이 커피를 데우고 있는 것처럼 느껴졌다. 주재는 카페테라스에 앉아 세상을 바라보는 사람들을 동경했다. 이방인으로서 가 아닌, 그들의 삶과 경험을 맛보고 싶었다.

"그리고 에스프레소가 달게 느껴진다면 어른이 된 거라는 말을 들었거든. 에스프레소의 쓴맛이랑은 비교도 안 되는 세상의 쓴맛을 알아버렸기 때문이라고 하더라."

주재는 커피의 본고장인 이곳에서 자신이 첫 에스프레소의 맛을 어떻게 느낄지도 궁금했다. 늘 예고 없이 자유롭게 훌쩍 떠나는 삶이 철없어 보인다는 이들의 말이 틀리기를 바라면서.

"테라스에 앉아서 에스프레소를 한 모금 삼키는 데 진짜 너무너무 쓴 거야! 아니, 이렇게 쓴 걸 다들 왜 즐겨 마시는지 도저히 이해가 안 되더라. 난 아직 철없는 어른아이인가 싶기도 했고."

주재는 하던 이야기를 잠시 멈추고 손에 든 종이컵을 들어 커피를 한 모금 삼켰다. 민재와 똑같은 커피믹스를 마시고 있었음에도 주재 혼자 쓴 에스프레소를 달게 마시고 있는 것처럼 보였다.

"아니, 그런데 나중에 보니까 다들 설탕을 두 봉지씩 넣어서 먹더라고. 설탕을 그렇게나 많이 넣으면 당연히 달지 않겠어? 인생의 쓴맛은 무슨…자기기만이지 뭐야."

주재는 본인이 한 말이 우습다는 듯이 크게 소리내 웃었다. 민재도 따라 웃었지만 곧이어 씁쓸한 감정이 소용돌이쳤다. 그의 반복되는 일상에서는 결코 맛볼 수 없는 세상이었다. 주재의 경험과 민재의 현실 사이에 존재하는 깊은 간극은, 민재가 영원히 맞이할 수 없을 순간을 또렷하게 드러냈다.

어제 일을 떠올리고 있는 민재의 눈앞에 또다시 갈루아벌레가 나타났다. 민재가 다가가자, 그 벌레는 눈더미 옆에 쌓여있는 썩은 낙엽 더미 아래로 몸을 숨겼다. 민재는 종이컵을 들고 그 앞에 쪼그려 앉았다. 컵으로 낙엽 더미를 쓸자, 컵 입구에서 바둥거리던 갈루아벌레가 낙엽들과 함께 컵 안으로 떨어졌다. 민재가 몸을 일으키려던 순간 헤쳐진 낙엽 더미 안에서 거미 한 마리가 꼿꼿하게 다리를 세우고 민재를 향해 머리를 들어 올렸다. 까만 몸 위에 노란 무늬가 새겨져 있고 등 한가운데는 장식처럼 붉은 점이 있었다. 민재는 순간적으로 놀라서 뒷걸음을 치다가 평상에 주저앉았다. 아마 주재가 이 모습을 보았다면 놀렸겠지. 민재는 그 상황에서 벗어나려는 듯이 서둘러 집으로 되돌아왔다.

그 사이 집안의 온기는 다시 사라진 상태였다. 바깥의 차가운 기운이 벽을 넘어와 집안을 가득 메웠다. 널어놓은 빨래들 때문에 집안 공기는 물기를 머금어서 축축했다. 숨을 쉬는 것이 버거웠다. 창문을 살짝 열어 두었지만 다음날도 상황은 마찬가지였다. 패딩 점퍼를 입고 두 겹의 양말을 신어도 뼛속까지 파고드는 한기 때문에 번번히 잠에서 깼다. 결국 민재는 월요일 아침에도 알람이 울리기 전에 침대에서 일어났다. 온몸이 물에 젖은 솜마냥 무거웠다. 그와 반대로 갈루아벌레 두 마리는 플라스틱 통 안에서 활발하게 기어다녔다.

차라리 더 일찍 출근하는 편이 나을 것 같아서 서둘러 채비했다. 빨래 건조대에 널려 있던 기모 바지를 입는데 안감이 덜 말라서 축축한 느낌에 불쾌했다. 마땅한 다른 옷이 있을 리가 없었다. 민재는 마지못해 집을 나선 후 흙길 위를 걸었다. 새벽의 공기가 바지의 습기를 얼어붙게 만든 것처럼 닭살이 온몸에 오소소 돋아났다. 민재가 공장에 도착했을 때도 아직 해는 뜨지 않았다.

"주임님, 여기 계셨어요?"

민재가 눈을 번쩍 뜨자 상훈이 걱정스럽게 민재를 바라보고 있었다. 민재는 상황 판단이 되지 않았다. 주위를 두리번거리다가 곧 이곳이 공장 2층 끝에 있는 작은 휴게공간이라는 것을 알아차렸다. 가죽이 쩍쩍 갈라져 스펀지가 드러난 소파에 앉아 출근 시간까지 잠시 쉬려고 했던 것인데 이렇게 깊게 잠이 들 줄은 몰랐다. 민재는 상훈에게 커피 한 잔을 마시려다가 깜빡 졸았던 것 같다고 둘러댔다. 벽에 걸린 시계는 9시 30분을 가리키고 있었다. 화들짝 놀란 민재는 서둘러서 작업장으로 향했다. 민재를 따라가던 상훈은 다시 슬그머니 휴게공간으로 되돌아왔다. 소파 옆의 정수기에서 물방울이 보글거리며 올라왔다. 상훈은 종이컵에 커피믹스 두 개를 넣어 진하게 커피 한 잔을 타고 다시 작업장으로 내려갔다.

월요일 오전이라 다행이었다. 오전 업무는 출하될 완제품에 송장을 붙이고 지게차로 이송해 트럭에 맞게 실리는지만 확인하면 되었다. 이른 출근을 하는 상훈이 이미 송장을 다 붙여 놓은 덕분에 일이 많이 줄었다.

민재는 상훈이 건네는 커피를 받아서 그대로 쭉 들이켰다. 달아야할 커피가 쓰게 느껴졌다. 민재는 저도 모르게 잔뜩 미간을 찌푸렸다.

"주임님 표정만 보면 사약 드시는 것 같은데요."

상훈이 장난스럽게 민재를 흉내 냈지만 민재는 정곡을 찔린 듯 뜨끔했다. 커피가 너무 달다며 별일 아니라는 듯이 대꾸하고 괜히 완제품들을 살피는 척하며 부산스레 움직였다. 그러나 민재는 업무에 집중하려고 하면 할수록 하루 종일 스스로가 어색하게 느껴졌다. 어린 시절 물속에서 발버둥 치며 앞으로 나아가려 했지만 결국 허우적거리며 제자리를 맴돌았던 그때처럼. 아무리 움직여도 제자리걸음을 하는 듯했다. 마른침을 삼키자, 입안에 남아있는 커피의 텁텁함이 느껴졌다.

얇은 돼지고기에 두껍게 튀김옷이 입혀진 돈가스는 기름을 잔뜩 머금고 있었다. 변함없는 월요일 점심 메뉴. 상훈은 느끼하다며 돈가스에 케첩을 듬뿍 뿌려서 버무렸다. 민재는 아무래도 좋았다. 구내식당에서 먹는 음식들 역시 민재에게는 엄마의 반찬들처럼 그 맛이 다 똑같았다.

젖은 바지는 아직도 마르지 않았다. 민재는 다 먹은 식판을 나를 때에도, 발주를 넣은 파란 드럼통을 작업장에 옮길 때에도 계속해서 다리에 들러붙는 바지 때문에 집중 하기가 힘들었다. 그래서 네 번째 드럼통을 팔레트 위로 옮길 때, 그만 손이 미끄러지고 말았다. 공장 안을 크게 울리는 쇳소리가 귀를 먹먹하게 만들었다. 상훈이 아니었다면, 드럼통은 넘어진 채 불도저처럼 굴러서 천장까지 높게 쌓여있는 제품 상자들을 무너뜨렸을 것이다. 식은땀 한줄기가 등을 가로지르며 흘렀다. 상훈과 처음으로 함께 일했던 날 말고는 한 치의 실수도 없었던 민재였다.

그날, 민재와 상훈은 서로 손발이 맞지 않아서 녹색 우레탄이 깔린 작업장 바닥에 조액통의 액체를 흘렸다. 당황한 나머지 두 사람은 서둘러 바닥의 액체를 손으로 쓸어내려 했다. 그러나 그 액체가 얼마나 독했던지 비닐을 뚫고 들어와서 손에 닿았고, 곧이어 아스팔트 바닥에 쓸린 것처럼 화끈거리면서 싸한 통증을 느끼게 했다. 그보다 더 힘들었던 것은 바닥을 닦아내도 가시질 않는 고약한 냄새였다. 결국 그날 오전에는 일을 공치고 말았다. 민재가 공장에 들어온 이후 처음 겪는 일이었다. 오전 업무가 밀리자 그 뒤에 이어질 제품의 검수도, 가공도, 포장도 다 밀리고 말았다. 상훈은 벌겋게 달아오른 얼굴로 정신없이 다른 구역을 돌아다니며 연신 죄송하다고 외쳤다. 민재는 말없이 고개만 숙인 채 바닥의 액체를 닦고 또 닦았다.

하마터면 그때처럼 작업이 틀어질 뻔했다. 상훈이 웃으며 주임님도 나이 들면서 힘이 빠졌다고 놀렸다. 예민해진 분위기를 풀어보려는 노력을 모르지 않았지만, 민재는 순간적으로 쓰임을 다해 버려지는 나뭇조각이 떠올라서 웃을 수 없었다.

퇴근 후, 민재는 집으로 향하던 발걸음을 멈추고 구멍가게 앞 평상에 걸터앉았다. 공장에서는 업무를 마친 사람들이 하나둘 빠져나와서 각기 다른 목적지로 향했다. 같은 숙소 건물에 살고 있는 직원들도 민재 앞을 빠르게 지나쳐 갔다. 눈이 마주치면 가볍게 목례를 건네지만 따로 이야기를 해 본 적은 별로 없는 사람들이었다. 이윽고 공장의 불이 꺼지고 마지막까지 남아있던 차 한대가 미끄러지듯 주차장을 빠져나왔다. 민재는 주위를 두리번거리면서 다시 공장으로 발걸음을 옮겼다. 잠가두지 않았던 작업장 창문을 열고 버둥거리며 넘어갈 때 종이컵에서 버둥거렸던 갈루아벌레가 떠올랐다. 민재는 어두운 공장 벽을 더듬으며 2층 휴게공간으로 올라갔다. 소파 근처로 난로를 옮기고 물을 가득 채운 노란 주전자를 올려 두었다. 난로에 불이 들어오자 얼마 안 있어 주변이 노곤해질 만큼 따뜻해졌다. 민재는 소파에 누워 패딩 점퍼를 이불 삼아 덮었다. 몸을 뒤척일 때마다 삐그덕거리는 소리가 거슬렸지만, 습기가 가득한 추위 속에서 잠을 설치는 것보다 훨씬 나았다.

철제문이 바닥을 긁으며 거친 소리를 내는 바람에 민재는 깜짝 놀라며 몸을 일으켰다. 아주 잠깐 눈을 붙인 것 같았는데 벌써 날이 밝아오고 있었다. 난로 위에 놓여있던 주전자 속의 물은 이미 말라 있었다. 어쩐지 목이 칼칼하고 건조해서 침을 삼킬 때마다 꺼끌거렸다. 종이컵에 정수기 물을 따르던 순간 휴게공간 옆 사무실의 사람들이 계단을 오르는 소리가 들렸다. 민재는 본능적으로 화장실에 몸을 숨겼다. 굳이 따지자면 크게 잘못한 일도 없는데 죄를 지은 사람처럼 몸이 먼저 반응했다. 화장실 거울에 비친 민재는 땀에 늘어붙어 엉겨 붙은 머리에 번들거리는 얼굴을 하고 있었다. 민재는 거울 속 자신의 모습이 어쩐지 낯설었다. 세면대에서 금방 머리라도 감고 싶었지만 수돗물의 온도는 얼음장 같았다. 결국 거울 속의 낯선 이는 얼굴에 차가운 물을 황급히 끼얹고 입을 헹구는 것으로 만족해야 했다.

민재가 작업장으로 향할 때 주머니 속의 핸드폰에 문자 알림이 울렸다. 택배가 저녁에 도착할 것이라는 내용이었다. 그 위로 거의 비어 버린 배터리 표시가 보였다. 충전기가 없었던 탓이었다. 핸드폰이 곧 꺼진다는 걱정도 잠시, 민재는 특별히 연락을 주고받을 일이 없다는 사실을 떠올렸다. 퇴근하면 늘 충전기에 꽂아두고 출근할 때 들고 다니던 핸드폰이었다. 무엇을 위해 그 행위들을 매일 반복했던 걸까? 민재는 그것이 의미 없게 느껴졌다.

민재는 작업을 하는 내내 또다시 공장 안의 부품들로 녹아 내리는 자신을 떠올렸다. 그리고 쓰임이 다해 버려지는 부품으로 생각이 연결되지 않도록 애쓰다가 처음으로 의문이 생겼다. 왜 이런 상상을 하는 걸까? 모든 생각이 의미 없이 느껴졌다. 매일 반복되는 삶도 무의미하게 느껴졌다. 민재 자신의 의미도 찾을 수 없었다.

*

　퇴근 후, 집으로 향한 민재는 문 앞에 놓인 택배 상자를 집 안으로 들였다. 집안의 온도는 바깥과 별반 다르지 않았다. 저절로 이가 덜덜 떨리고 어깨가 바짝 올라갔다. 민재는 열려있는 창문을 서둘러 닫았다. 일단 따뜻한 물로 씻는 것이 급선무였다. 빨래 건조대 위에 널려있는 속옷과 갈아입을 옷을 집어 들었다. 창문을 열어 둔 탓인지 빨래들은 마르지 않고 살짝 얼어서 버석거렸다. 상황이 마음에 들지 않았지만 다른 선택지는 없었다. 한숨을 내쉬는 민재의 입김이 공중에서 하얗게 퍼졌다. 민재는 곧장 욕실로 향했다. 옷을 벗자 몸이 더욱 심하게 떨렸다. 따뜻한 물이 너무나 간절했다. 그러나 샤워기에서 차가운 물이 쏟아지자 민재의 입에서 욕지거리가 터져 나왔다. 보일러를 꺼두었다는 사실이 그제야 떠올랐다.

　보일러가 돌아가는 동안, 민재는 커피포트에 물을 끓이고 컵밥을 데웠다. 벗어둔 옷을 다시 입는 찝찝함보다 추위와 허기가 더 견디기 힘들었다. 식탁에 앉아 밥을 먹는 내내 시선은 플라스틱 통 안의 갈루아벌레들에게 향했다. 통 안의 작은 공간이 그들 세상의 전부라는 사실을 알까? 민재는 흙 위를 기어다니는 벌레들도 문득 의미 없게 느껴졌다가 곧 그 생각을 지우려 애썼다. 이 집을 빨리 벗어나고 싶은 욕구가 목구멍까지 차올랐다. 뜨거운 물에 몸을 적셔도 그 욕구는 사라지지 않았다. 민재는 곧바로 적당한 크기의 비닐봉지를 찾아서 여벌의 옷을 챙기고 보일러를 껐다. 서둘러 택배 포장을 뜯고 갈루아벌

레들이 지나다니는 흙 위에 밀웜을 한 컵 떠서 뿌렸다. 밀웜들이 들어
있는 상자를 다시 밀봉할 때 민재는 천장 한구석을 차지하고 있는 거
미줄을 발견했다. 그러나 더 살펴볼 겨를이 없었다. 한계에 다 다른
것이 느껴졌다. 민재는 집을 벗어나 현관문을 닫고 그 앞에 주저앉았
다. 또다시 깊은 한숨이 새어 나왔다. 민재는 다시 한 길로 쭉 뻗어있
는 흙길을 밟았다. 다른 선택지는 없었다. 그리고 잠그지 않은 작업장
의 창문을 통해 버둥거리며 공장 안으로 들어갔다.

　민재가 남몰래 공장에서 생활하는 날들이 늘어갈수록 공장 안에서
퀴퀴한 냄새가 코끝을 스치는 빈도도 잦아졌다. 외면하려고 애써도
공장 사람들의 시선이 고스란히 느껴졌다. 마르지 않는 옷을 입고 있
는 것처럼 민재의 몸에는 찌뿌둥함과 무거움도 점점 쌓여갔다.
　민재와 상훈은 한 주의 마지막 오후 업무만을 남겨두고 있었다. 상
훈은 제육볶음을 배에 가득 채워서 기분이 좋은지 연신 재미없는 농
담을 던졌고 민재는 여전히 말이 없었다. 둘은 완성된 조액통을 카트
에 싣고 두 번째 작업장으로 발걸음을 옮겼다. 기계에 조액통을 장착
한 후 스위치를 켜자 요란한 소리를 내며 작동하기 시작했다. 액체가
쟁반처럼 생긴 낮은 판 위로 부드럽게 흘러나와 기계의 정교한 움직
임에 따라 넓게 펼쳐졌다. 그리고 점점 굳어지며 모습을 변화시켰다.
드디어 투명한 필름으로 완벽하게 탈바꿈되었다. 이것들은 곧바로
기다란 컨베이어 벨트 위를 지나 다음 작업장으로 이동했다. 그 사이
에 민재는 완성된 필름에 불량은 없는지 계속 확인해야 했다.

두 번째 조액통을 기계에 끼우던 순간이었다.

"주임님!"

상훈의 다급한 외침 뒤에 민재는 자신이 지탱하고 있던 조액통을 놓쳤다는 사실을 깨달았다. 드럼통이 둔탁하게 기계에 부딪히고 액체들이 그 위로 흐르며 작은 부품 사이 사이로 스며들기 시작했다. 고약한 냄새가 온 공장 안을 휘저었다. 민재는 망연자실하게 이 믿을 수 없는 상황을 바라만 보고 있었다. 상훈이 작업복을 잡아당기며 민재를 뒤로 물러서게 했다. 액체는 바닥까지 흘러서 민재의 고무장화를 적시고 있었다. 공장 사람들이 작업장에 몰려 들었다. 코를 막거나 미간을 찌푸리며 민재를 바라보는 사람들 틈을 헤치고 머리가 반쯤 벗겨진 황 부장이 다가왔다. 커다란 고함이 민재의 귀를 윙윙 울렸다. 이게 몇억짜리 기계인 줄은 아느냐, 수리하는 데 시간은 또 얼마나 많이 걸리겠느냐, 그동안 모든 업무를 멈춰야 하는데 어떻게 책임질 것이냐는 말이 머릿속을 가득 채웠다. 구역질이 올라와서 참을 수가 없었다. 민재는 그대로 공장을 뛰쳐나와 숙소로 돌아왔다. 누군가가 찾아와서 초인종을 누르거나, 현관문을 두드리면서 민재의 이름을 불러도 민재는 이불을 두르고 침대 위에서 꼼짝하지 않았다.

그날 저녁 처음으로 상훈의 문자를 받았다. 문밖에 던져 놓은 작업복과 고무장화를 회수했고 민재가 공장에 벗어 둔 옷가지들을 챙겨 문고리에 걸어 두었다는 메시지였다. 기계는 수리하는데 2주 정도 시간이 필요하고 결국 공장 사람들이 모두 무급 휴가에 동의했다는 내용도 덧붙여 있었다. 상훈 혼자서 벌겋게 달아오른 얼굴로 공장 안을 바쁘게 돌아다녔을 모습이 떠올랐다. 미안해해야 할 일이었음에도 민재는 그 현실을 외면하기 위해 애써 생각을 돌렸다.

꼬박 일주일의 시간이 흘렀다. 민재는 대부분을 침대 위에서 보냈다. 여러 겹의 옷을 껴입고 패딩을 두르고 이불을 뒤집어쓴 모습이 꼭 번데기 같았다. 늦은 오후에 상훈이 보낸 두 번째 안부 문자로 오늘이 금요일임을 알았다. 숙소 안은 여전히 겨울이었다. 침대 주변에는 비어있는 컵밥 포장 용기가 어지럽게 흩어져 있었다. 민재는 면도를 하지 않아서 거뭇해진 수염이 콧김으로 얼어버린 기분이 들었다. 이불을 두른 채 일어나서 식탁으로 향했다. 플라스틱 통을 덮어두었던 비닐이 열려 있었다. 먹이를 주고 다시 덮어두는 걸 잊었던 건지, 민재는 기억을 떠올리려고 했지만 알 수 없었다. 안에 넣어둔 밀웜들은 거의 사라졌고 갈루아벌레들은 보이지 않았다. 무언가가 방바닥을 기어다니는 것 같았지만 아무리 둘러봐도 찾을 수가 없었다. 민재는 벌레가 몸 위를 기어다니는 상상에 몸서리가 쳐져서 집 밖으로 나왔다. 그리고 늘 걷던 흙길에 들어서서 힘겹게 걸음을 옮겼다.

"몰골이 왜 그 모냥이여?"

구멍가게 앞 평상에 멍하니 앉아 있는 민재 앞으로 할머니가 다가왔다. 손에 든 쟁반 위로 김이 올라오는 라면과 달걀 세 개가 보였다. 할머니는 평상에 쟁반을 두고 어여 먹으라는 말을 남기고 쪽방 안으로 들어갔다. 라면을 한입 넘겼지만 별다른 맛이 느껴지지 않았다. 민재는 몇 번 젓가락질하다가 곧 그 행동을 멈췄다. 주재는 오지 않았다. 고요한 어둠 속에서 얼마나 기다렸는지 알 수 없는 시간이 흘러도 주재는 오지 않았다. 노란 양은 냄비 안의 라면은 어느덧 차갑게 식어 있었다.

불이 꺼진 공장의 창문을 열어보려고 했으나 작업장의 창문들은 모두 잠겨 있었다. 민재에게는 다시 숙소로 돌아가는 것 외에 다른 선택지가 없었다. 다리가 얼어서 걷는 걸음이 무거웠다. 이러다가 처마에 매달린 고드름처럼 민재의 다리가 산산이 부서져 내릴 것 같았다. 겨우 집에 도착해 현관문을 열자 센서 등이 켜지며 식탁 다리와 벽 위, 그리고 바닥을 기어다니던 갈루아벌레들이 보였다. 그것들은 순식간에 침대 밑으로 숨어 들었다. 갈루아벌레는 두 마리가 아니었다. 곧이어 욕실에서 무언가 갉아 먹는 소리가 들렸다. 민재는 욕실 문을 활짝 열었지만 그 안에는 아무것도 없었다. 욕실 거울에는 덥수룩한 머리 아래에 드러난 새하얗게 질린 얼굴과 거뭇한 수염 아래로 퍼런 입술을 한 낯선 이가 덜덜 떨고 있을 뿐이었다.

다시 이불을 두르고 침대에 앉은 민재는 갑자기 화가 치밀어 올라 참을 수가 없었다.

"도대체 봄은 언제 오는 거냐고!"

민재의 공허한 외침이 천장 모퉁이에 더 크게 자리 잡은 거미줄에 닿았다. 멍한 민재의 눈길 끝에는 거미줄에 걸려 발버둥 치고 있는 갈루아벌레 한 마리가 있었다. 움직일수록 몸을 더 옥죄는 거미줄에서 벗어나기란 어려울 것이다. 까만 몸 위에 노란 무늬와 등 한가운데 붉은 점이 새겨진 거미가 갈루아벌레에게 천천히 다가갔다. 이미 그 운명을 알고 있다는 듯 여유롭게 움직이는 모습이었다. 그 벌레에게 다른 선택지는 없었다. 거미는 갈루아벌레의 몸을 거미줄로 칭칭 감기 시작했다. 민재는 멍하게 그 모습을 바라보았다. 자신이 점점 사라져서 거미줄의 일부로, 몸이 답답하게 묶인 갈루아벌레로 스며드는 것 같았다. 거미는 자신의 먹이를 완전하게 포박했고 갈루아벌레는 마지막 투쟁을 멈추고 무기력하게 운명을 받아들였다.

차가운 두려움이 민재의 몸을 옥죄였다. 거대한 어둠이 점점 더 깊게 내려앉을수록 무력감이 커졌다. 민재의 눈동자에 거미 등의 붉은 점이 비쳤다가 사라졌다. 천천히 흐려지는 시야 속에서, 봄의 도래는 먼 꿈처럼 느껴졌다.

3번째 단편: 사라지는 것들

새벽의 부드러운 빛 속에서, 태양의 손가락이 세상의 눈꺼풀을 간지럽히고 어둠을 몰아내는 이 시간을 나는 가장 좋아한다. 창문을 통해 스며드는 햇살이 서서히 방 전체를 호박빛으로 가득 채우는 이 시간을. 두 눈을 감고 있어도 이미 세상은 밝게 빛나기 시작했음이 느껴지는 이 시간을. 이제 눈을 뜨면 침대 발치에서 꼬리를 살랑살랑 흔들고 있을 뚜뚜가 보이겠지? 단지 생각만으로도 웃음이 나오는 뚜뚜는 제일 먼저 손꼽아 말할 수 있는 나의 가장 친한 친구이다. 몽실몽실한 새하얀 털, 촉촉하게 반짝거리는 새까만 코를 가진 사랑스럽고 귀여운 강아지 친구 말이다. 뚜뚜의 털 만큼이나 폭신한 이불 속에서 발가락을 한동안 꼼지락거리다가 마음속으로 천천히 숫자를 세었다. 하나⋯두울⋯세엣! ⋯ 그러나 오늘따라 이상하게도 아침을 깨우는 엄마의 목소리가 들리지 않는다. '소라야 일어나! 아침 먹자! 엄마가 오늘 아주아주 맛있는 팬케이크를 구웠어! 빨리 안 오면 뚜뚜가 다 먹어버릴지도 몰라!' 하는 웃음 섞인 목소리가 오늘따라 들리지 않는 것이다. 그러고 보니 온 집안을 가득 채워야 할 그 향긋한 팬케이크 냄새도 나지 않았다. 당장 부엌으로 달려가고 싶었지만 그래도 뚜뚜와의 까꿍 놀이를 빼먹을 순 없다. 늘 그렇듯, 조용하게 이불 한쪽 끝을 손에 쥐고 자세를 틀어서 천천히 엎드린 후 벌떡 일어날 준비를 했다. 그리고 보드라운 이불을 확 걷어내며 외쳤다.

"뚜뚜야!"

오늘은 정말이지 이상한 날이다. 항상 귀를 펄럭거리면서 토끼처럼 방 안을 이리저리 뛰어다니며 목걸이에 걸린 방울 소리를 요란하게 들려줘야 할 뚜뚜도 보이지 않았다. 엄마의 목소리도 들리지 않고 뚜뚜의 모습도 보이지 않는 아침이라니… 부엌으로 달려가며 엄마를 불렀지만 평소와 같은 아침의 분주함은 어디에도 없었다. 신문을 읽으며 커피를 마시고 있어야 할 아빠의 자리마저 텅 비어 있었다. 집 안은 적막과 의문으로 스멀스멀 채워져 갔다.

나는 대충 벗어 던져 놓았던 신발을 구겨 신으며 현관문을 열고 앞마당으로 나갔다. 몇 해 전 여름, 마당에서 뛰길 좋아하는 뚜뚜가 더위를 피할 수 있도록 아빠와 나무판자들을 세우고 만든 뚜뚜의 집이 보였다. 빨간색 페인트로 지붕을 칠하고 하얀 분필로 '뚜뚜의 집'이라고 멋들어지게 글씨도 써 놓은, 뚜뚜 몸집에 아주 걸맞은 집이다. 하지만 집 안에도 뚜뚜는 없었다. 주위를 천천히 둘러보다가 저 멀리 담장 너머로 마을 언덕을 내려오고 있는 엄마와 아빠의 모습이 보였다. 나만 두고 아침부터 어딜 다녀오는거야? 궁금함에 엄마, 아빠에게 달려가고 싶었지만, 집에 혼자만 남겨져 있었다는 사실에 심술이 나서 못 본 체 해버렸다. 볼을 뾰로통하게 부풀리고 괜히 신발 앞코를 잔디

바닥에 콕콕 찍다가 마당 한쪽에 놓인 작은 평상으로 가서 벌러덩 누웠다. 평상에 그늘을 드리우는 나뭇가지들과 잎사귀들이 하늘에 얼기설기 거미줄을 친 것 같았다. 바람이 불 때면 잎사귀들은 서로 몸을 부대끼면서 속삭이는 소리를 들려주었다. 나는 그때마다 뚜뚜에게 나무의 이야기를 해주곤 했다. 뚜뚜는 정말 똑똑해서 나의 모든 이야기를 다 알아들었다. 조금 심각한 이야기엔 혀를 날름거리며 코를 핥고 재미있는 이야기엔 까만 눈을 반짝이며 꼬리를 살랑거렸다. 하지만 오늘은 바람도 불지 않아서 나무마저 이야기를 멈추었다. 조용한 아침이었다. 이윽고 대문이 열리는 소리가 고요한 세상에 침범했다. 벌떡 일어나며 나만 빼고 어디에 다녀왔냐고 외쳤지만, 엄마와 눈이 마주친 순간 평소와 다른 분위기에 아무 말도 할 수 없었다. 늘 다정하게 바라보며 활기차게 대화를 건네던 엄마의 입은 단단하게 다물어져서 침묵만이 흘렀다. 그러고 보니 엄마의 눈가가 붉게 부어 있었다. 분명 무언가 잘못되었다는 것을 직감했지만 도무지 무엇 때문인지 알 수 없었다. 아빠는 눈길 한 번 주지 않고 고개만 떨구고 있을 뿐이었다. 그 짧은 침묵 속에서 시간은 아주 무겁게 가슴을 짓눌렀다. 평소보다 더 낮고 가늘게 떨리는 목소리로 내 이름을 나지막이 부른 엄마는 다시 한참 동안 말을 잇지 못했다.

"소라야…우리 뚜뚜가…뚜뚜가 이제는 우리와 함께할 수 없어."

그 간단해 보이는 문장의 의미를 한 번에 파악하기 어려웠다. 마치 단어 사이사이에 수많은 이야기가 숨바꼭질하듯 숨어 있는 것만 같았다.

"뚜뚜가 어디 있는데?"

입이 바싹 말라서 툭 내뱉은 목소리가 갈라지는 바람에 나의 걱정이 선명하게 드러났다. 엄마가 떨리는 목소리로 전한 소식은 뚜뚜가 이 세상에 없다는 것이었다. 간밤에 예기치 못한 사고가 있었고 수의사 선생님이 최선을 다해서 뚜뚜를 도와주려고 했지만, 너무 크게 다쳐서 결국 우리 곁을 떠났다는 그런 말도 안 되는 이야기를. 그 이후로도 엄마는 계속해서 말을 이어갔지만, 그 이야기들은 내 귀에 닿지 못하고 사라져 버렸다. 뚜뚜가 떠났다고? 다신 볼 수 없다고? 혼란스러움 속에서 애타는 질문들만 내 머릿속을 어지럽혔다. 눈앞이 점점 뿌옇게 흐려지더니 간신히 참고 있던 눈물이 볼을 타고 흘렀다. 그리고 이내 둑을 터뜨린 것처럼 울음이 터져 나왔다. 눈물은 멈출 줄 몰랐고 숨소리는 끊어질 듯 커졌다. 도무지 믿기지 않는 이야기였다.

뚜뚜와 나는 언제 어디서든 항상 함께였다. 정원에서 제일 향기로운 꽃 찾아내기 놀이할 때도, 마을 언덕의 큰 아름드리나무까지 술래잡기할 때에도, 평상에서 나무가 들려주는 비밀 이야기를 공유할 때도, 심지어 침대 아래에 숨겨놓은 보물 상자의 열쇠를 묻어둔 곳의 보물 지도가 어디에 있는지 까지도. 뚜뚜는 항상 내 곁에서 모든 모험을 함께하는 친구였다. 그런 뚜뚜를 이제 볼 수 없다고? 단 한 번도 뚜뚜가 없는 하루를 상상해 본 적이 없었다. 오늘만 해도 뚜뚜랑 언덕 위의 커다란 아름드리나무에 가서 키를 잴 생각이었다. 지난겨울, 그 나무에 나와 뚜뚜의 키 높이만큼 짧은 선을 몰래 그어 놨었다. 하얀 눈이 녹고 나뭇가지에 새순이 돋으면 다시 키를 재보려고 다짐했었는데 새로운 잎사귀들이 푸르게 온 사방을 수놓은 지 벌써 오래되었다. 뚜뚜랑 다시 그곳에 가야 하는데… 갑자기 찾아온 허전함은 조금 전까지 존재했던 모든 것들이 아득히 멀어지고 내 몸의 한 부분을 잃어버린 것처럼 만들었다. 발톱이 나무 바닥에 닿아서 걸을 때마다 토독토독 소리를 내던 발걸음, 늦잠을 잘 때면 촉촉한 콧등을 내 볼에 부비던 다정함, 내가 하는 모든 것들을 조용하게 응원하던 눈빛, 그리고 매 순간 함께 나눴던 수많은 웃음들이 모두 사라진 듯했다. 처음 느끼는 이러한 생소한 감정들을 어떻게 받아들여야 하는지 도무지 알 수 없었다. 뚜뚜는 이제 없다. 그리고 이 빈자리를 채울 수 있는 것은 아무것도 없을 것이다.

방으로 돌아와 한동안 멍하게 침대 발치를 바라보다가 뚜뚜의 털처럼 보드라운 이불을 끌어안았다. 또다시 볼을 타고 흐르는 눈물이 투둑 바닥에 떨어졌다. 이렇게 숨죽여 울고 있을 때 뚜뚜는 가만히 다가와 내 뺨의 눈물을 핥으며 위로해 주었다. 이제는 이런 슬픔도 혼자 견뎌야 하겠지? 하지만 뚜뚜의 위로 없이 어떻게 해야 할지 알 수가 없었다. 뚜뚜와 함께했던 순간들이 가득했던 방 안이 갑자기 텅 빈 동굴처럼 느껴져서 겁이 났다. 무작정 방 안을 벗어나서 대문 앞에 쪼그려 앉아 있다가 언덕 위의 나무로 향했다. 뚜뚜와 항상 함께 걷던 길이었는데… 뚜뚜 없이 이 길을 걷고 있으니, 마치 엄마의 첫 심부름으로 혼자 시장에 갔던 날처럼 어색한 기분이 들었다. 내 기분과는 다르게 길가에는 봄을 알리는 들꽃들이 만발해 있었고, 그 중 아침 햇살에 익은 계란후라이처럼 보이는 하얗고 노란 들꽃들도 있었다. 뚜뚜는 그 꽃을 특히 좋아했다. 꽃을 꺾어서 '뚜뚜야, 계란이야!' 하고 내밀면 뚜뚜는 입에 덥석 물었다가 다시 뱉어내는 장난을 쳤고 그런 뚜뚜를 보며 한바탕 웃기도 했다. 물끄러미 바라보던 꽃 한 송이를 꺾어 들고 나무 앞에 섰다. 뚜뚜와 몰래 남겼던 내 키의 표시는 이제 눈썹 조금 위의 높이로 낮아졌다. '뚜뚜야, 이거 봐. 나 벌써 키가 또 이만큼 자랐어!' 마음속으로 뚜뚜에게 하고 싶은 말을 중얼거리며 문득 뚜뚜도 조금 더 컸을까 궁금해졌다. 이제는 확인 할 길이 없겠지… 나는 꺾어온 들꽃을 나무에 표시를 남기며 긁어낸 틈 사이에 꽂았다.

혼자 집으로 들어갈 용기가 나지 않아서 이웃집 지우네로 발걸음을 돌렸다. 지우가 무언가 계속 이야기를 했지만 잘 들리지 않아서 하나도 대답할 수가 없었다. 결국 우리는 아무 말 없이 그림을 그리며 시간을 보냈다. 하지만 뚜뚜와 함께했던 세상의 색 역시 모두 사라져서 하나도 남아있지 않았다. 날은 점점 어두워졌고 나를 찾으러 온 엄마 손에 이끌려 결국 집으로 되돌아갔다.

*

　어스름한 새벽의 고요 속에서 번쩍 눈이 떠졌다. 잠들기 전 어제의 일이 꿈이었기를 바랐다. 아침이 되면 모든 것이 다시 원래대로 돌아가 있기를. 이불을 들추며 침대 발치를 바라보았지만, 현실은 기대와 달랐다. 꿈이 아니었구나… 오늘따라 유독 느껴지는 한기에 온몸이 부르르 떨리고 가슴이 시렸다. 천천히 침대에서 몸을 일으켜 앉아 여느 때와는 다른 분위기를 풍기는 방 안을 둘러보았다. 시선은 자연스럽게 책상 위에 붙여놓은 작은 엽서 크기의 종이에서 멈추었다. 어느 날인가 뚜뚜에게 동화책을 읽어주다가 책 속에 묘사된 마법의 숲을 직접 보여주고 싶어졌다. 그래서 스케치북을 펼치고 팔레트에 무지개색 물감을 짜놓고 초록색으로 풍성한 풀밭과 잎사귀들을 그리기 시작했다. 그때 가만히 앉아 있던 뚜뚜가 갑자기 그림 위로 달려들었다. 짜놓은 물감을 밟았는지 뚜뚜가 지나간 자리에 빨갛고 노란 발자국들이 찍혔는데 그것이 꼭 활짝 핀 들꽃 같았다. 그날, 목욕한 지 얼마 안 된 뚜뚜의 털이 더러워지고 뚜뚜의 발자국들이 나무 바닥 위에 어지럽히듯 잔뜩 찍혀서 엄마한테 야단을 맞았다. 그럼에도 그림 속 뚜뚜가 만들어 준 마법의 숲이 너무나도 예뻐서 그 부분만 오려낸 후 보물처럼 간직해왔다. 코끝이 찡해진 채로 붙여 놓았던 작은 종이 조각을 조심스럽게 벽에서 떼어낸 후 품에 안았다. 항상 따뜻한 온기를 전해주던 뚜뚜를 다시 한번 꼭 품에 안고 싶었다. 서서히 날이 밝아오며 선홍색의 따뜻한 빛이 방안을 가득 채우면서 나를 감싸 안았다.

시렸던 코끝이 아주 조금씩 평소의 온도를 찾아갔다. 뚜뚜처럼 따뜻한 빛을 좇아 창밖을 멍하게 내다보던 나는 곧이어 화들짝 놀라고 말았다. 평상 위를 드리우는 앞마당의 나무 잎사귀들 사이 사이로 햇살이 붉고 노랗게 반짝이는 것이 보였다. 그것은 뚜뚜가 그려준 마법의 숲과 똑 닮아 있었다. 넘어질 듯 뛰어서 서둘러 평상으로 달려갔다. 그 위에 드러눕자 마법의 숲이 훨씬 더 선명하게 보였다. 뚜뚜의 꼬리처럼 바람이 살랑거리자 잎사귀들 사이로 비치는 햇살들이 들꽃처럼 파도치며 춤을 추었다. 뚜뚜의 발자국 같은 들꽃들이 움직이는 모양새가 꼭 뚜뚜가 토독토독 소리를 내며 걷는 것 같았다. 바람이 조금 더 세게 불자 나무가 속삭이듯 소리를 내기 시작했다.

　- 뚜뚜는 마법의 숲에서 마음껏 들꽃 향기를 맡으면서 푸른 들판의 파도 위를 즐겁게 뛰어다니고 있어.'

　"마법의 숲? 거기가 어디야? 나도 가서 뚜뚜랑 같이 뛰고 싶어!"

　어쩌면 뚜뚜를 다시 만날 수 있을지도 모른다는 희망의 씨앗이 마음 한편에 살짝 내려앉았다. 그곳에 어떻게 가야 하는지 알려 달라고 애원했지만 나무는 속삭임을 멈추었다. 평소에는 수다쟁이처럼 비밀 얘기도 곧잘 털어 놓았으면서 왜 조용한 거야? 바람에 흔들리는 잎사귀들만 노려보다가 평상에 앉아 곰곰이 생각에 잠겼다. 그러다 문득 대문의 문틈 사이에 무언가 꽂혀 있는 것을 발견했다. 가까이 다가가 자세히 들여다보니 어제 언덕 위 나무 틈에 꽂았던 계란후라이 같은 들꽃이었다. 아, 아니, 이건 들꽃이 아니야! 이건 뚜뚜의 발자국이야! 그 순간, 평상 위의 잎사귀들이 등 뒤를 간지럽히듯 까르르 웃는 소리가 들려왔다. 그 웃음소리는 뚜뚜가 걸을 때마다 은은하게 울리던 목걸이의 방울 소리를 닮았다. 갑자기 몰려오는 흥분이 온몸으로 가득 차올랐다. 얼른 대문을 열고 밖으로 뛰쳐나왔다. 눈 앞에 펼쳐진 것은 물결치듯 푸르게 수 놓아진 들판이었다. 그리고 그 위로 뚜뚜의 발자국들이 이어지고 있었다. 발자국들은 들판을 가로질러서 어쩌면 정말로 뚜뚜가 있을지도 모르는 그 마법의 숲으로 안내하듯 길을 만들고 있었다. 설렘으로 가득 찬 마음을 안고 들꽃들을 따라 걸음을 옮기기 시작했다. 폭신한 풀밭 위의 들꽃들은 마을이 끝나는 길목까지 이어져 있었고 마을 어귀를 지키는 커다란 바위 밑동에서 끝이 났다. 이제 어디로 가야 할까? 어딘가 분명 다른 길이 있을 텐데⋯ 바위를 찬찬히 더듬으며 주위를 살피다가 갑자기 어디선가 튀어나온 다람쥐에 깜짝 놀라 엉덩방아를 찧었다. 예전에 뚜뚜와 들판에서 술래잡기할 적에도 갑자기 들꽃 뒤에서 나타난 다람쥐에 깜짝 놀라 엉덩방아를 찧었었다. 아파하는 나를 위해 뚜뚜는 '컹!'하고 크게 짖으며 그 다람쥐를 쫓기 시작했다. 우리는 이 바위까지 내달렸지만 결국 다람쥐를 놓치고 말았다. 뚜뚜가 바위 아래에 한참 코를 박고 킁킁거렸던 기억을 더듬으며 몸을 구부려 바위 아래를 살피던 순간, 예전에는 보지 못했던 작은 틈새를 발견할 수 있었다. 아주 비좁은 틈새였지만 거기에서 새어 나오는 바람이 그곳으로 들어와야 한다고 일러주는 것 같았다. 들어갈 수 없을 만큼 좁았던 틈새는 그 아래의 흙을 조금 거두고 나니 제법 커졌다. 엎드려서 바라본 그 안은 칠흑 같은 어둠이 내려앉아 있었다. 조금은 무섭고 망설여졌다. 그래도 뚜뚜를 만날 수 있다면…! 크게 호흡을 가다듬고 손으로 벽을 더듬으며 어둠 속으로 엉금 엉금 기어갔다. 답답하게 몸을 누르던 공간은 들어가면 들어갈수록 조금씩 넓어져서 걸을 수 있을 정도가 되었다. 뚜뚜의 콧김처럼 따뜻한 바람이 얼굴을 간지럽히기 시작했다. 어디선가 또다시 뚜뚜의 방울 소리가 들릴 듯 말 듯 울렸다. 조금 더 깊이 들어가자 저 멀리서 희미한 빛이 보이기 시작했다. 그 빛을 향해 걷다 보니, 갑자기 시야가 환하게 열리며 놀라운 광경이 펼쳐졌다. 분명 바위 안으로 걸어 들어갔는데 도착한 곳은 어떤 집의 앞마당이었다. 눈앞에는 빨랫줄이 열을 지어 길게 걸려 있었고 그 위에는 알록달록한 여러 겹의 천들이 널려 있어서 앞을 분간하기가 힘들었다. 천을 걷어내며 한 걸음 한 걸음 앞으로 나아갔다. 천의 촉감이 뚜뚜가 좋아했던 인형들처럼 부드럽게 느껴지다 가도 몸을 감싸며 걸음을 막는 것이 한편으로는 답답하게 느껴졌다. 순간적으로 느껴진 불편함의 기운이 가슴으로 내려앉자 또다시 온몸이 부르르 떨렸다. 분명 해가 내리쬐는 따뜻한 계절임에도 한 번씩 가슴이 시렸다. 다시 시야를 가로막는 천들을 걷어 내는 데 집중하며 앞으로 나아갔다. 마지막으로 걸려있는 새파란 빛깔의 천을 밀어낼 때였다. 미처 발밑의 하얀 실타래를 보지 못하고 그만 발이 걸려 넘어지고 말았다. 내 발에 걸린 실타래는 둔탁한 느낌으로 데구루루 구르며 실을 풀었다. 실타래에서 이어진 하얀 실은 마당의 바닥을 가로질러 집의 처마를 향하고 있었다. 그곳엔 집 전체를 덮을 듯한 거대한 물체가 지붕 위로 솟아 있었다.

"아이참, 완성하기 직전이었는데!"

어디선가 들리는 소리에 두리번거렸다. 집과 마당 그리고 널려있는 천들과 실타래들 말고는 아무도 보이지 않았다. 그 순간 바닥을 구르던 실타래가 꿈틀거리기 시작했다. 실타래에서는 하얀 실이 계속해서 풀려나갔다. 실을 따라 가만히 시선을 옮겨 다시 처마를 바라보니 그곳에는 작은 거미 한 마리가 그 하얀 실로 바느질하고 있었다. 어찌나 집중하고 있었는지 내가 쳐다보는 것도 모르는 것 같았다. 거미가 뜨고 있는 것이 뭔지 가만히 바라보자, 그 실뭉치들이 여러 가지 크기의 천들을 엮어서 커다란 거미의 형상을 하고 있다는 것을 알아차렸다. 집 전체를 감싸는 거대한 몸집은 마치 집을 따뜻하게 보호하는 것 같았지만 그 몸집을 지탱하는 다리들은 상대적으로 가늘고 약해 보여서 어쩐지 기묘하게 느껴졌다. 작은 거미는 하얀 실로 마지막 남은 다리를 완성하고 있었다. 아마 내 발이 실에 걸리는 바람에 그 연약한 일부분이 뜯겨 나갔던 모양이다. 미안한 마음에 커다란 거미가 완성되기를 잠자코 기다렸다.

"다 됐다!"

이윽고 작은 거미는 기쁜 듯이 외쳤다.

"저기…아까는 미안했어. 앞이 잘 보이지 않아서 실타래에 걸려 넘어졌거든."

"뭐, 신경 쓰지 마! 가늘고 약한 다리는 늘 상처받기 쉬워서 말이야. 그래도 나에게는 바늘이 있으니까 항상 망가진 것들을 고칠 수 있다구."

자신의 실력은 엄마 다음으로 최고라고 말하는 거미는 자신을 루이스라고 소개했다. 나도 이름을 밝히자 루이스는 소라라는 이름에서 파도 소리가 들린다며 놀리듯 웃었다. 종종 지우도 내 이름을 가지고 소라 껍데기라고 놀렸었지만 그 별명이 싫었던 적은 없었다. 파도가 밀려오는 해변에서 물에 젖은 모래 위를 걸을 때면 뚜뚜는 코에 모래를 잔뜩 묻히며 반쯤 드러난 소라 껍데기를 찾아내곤 했었다. 귀에 가져다 대면 늘 파도 소리를 늘려주는 예쁜 소라 껍데기. 그리고 뚜뚜도 그 소리를 함께 듣는 것을 좋아했다. 나는 말없이 고개를 끄덕거리면서 완성된 거대한 거미를 천천히 살폈다. 가늘게 뻗은 다리들이 어쩐지 또 망가질 것 같아서 괜히 걱정스러웠다.

"그런데, 저 다리들을 조금 더 튼튼하게 만들면 어때? 그럼 망가질 일도 없을 텐데..."

작은 거미는 잠시 생각에 잠겼다가 긴 이야기를 들려주기 시작했다. 어릴 때부터 상처받는 것이 무서워서 항상 참기만 했던 루이스는 결국 상처만 주던 아버지가 세상을 떠나자 그때부터 화를 참기 어려워졌다고 했다. 아무리 시간이 지나도 그 상처들이 남긴 깊은 마음의 흉터 자국들이 사라지지 않았다. 그런 루이스를 항상 지켜주던 것은 엄마였다. 그런데 엄마마저 세상을 떠나자 하루 종일 불안감에 사로잡힐 수밖에 없었다고 했다. 나는 마치 뚜뚜가 떠난 이후 주변의 모든 것들이 멀어진 것처럼 느낀 것과 왠지 닮은 감정일 거라고 생각했다.

"아주 검은 물에 깊이깊이 잠겨서 영원히 사라지고 싶은 그런 충동이 가시질 않았어."

끊긴 실처럼 세상에 혼자만 버려진 것처럼 무서웠고 루이스는 그때부터 몸에서 실을 뽑아낼 수 없었다. 햇빛이 내리쬐도 몸이 덜덜 떨리는 추운 날들을 보내던 어느 날, 엄마가 늘 수선하기 위해 거실 창가 옆으로 가지런히 걸어 두었던 벽걸이 천들이 마룻바닥으로 와르르 떨어졌다고 했다. 그것들을 정리하기 위해 손을 가져다 댔더니 포근한 엄마가 느껴졌다고. 엄마가 보고 싶은 마음에 눈물이 왈칵 쏟아졌고 한참을 펑펑 울고 나니 어떤 결심이 서게 됐다.

"그때부터 집 안을 오랫동안 채우고 있던 온갖 천들을 모으기 시작했어."

엄마가 쓰던 낡은 손수건, 작아져서 입지 못하고 옷장 한구석에 걸어 두었던 옷들, 침대보, 식탁보, 찢어져서 방치해 두었던 오래된 쿠션, 그리고 루이스를 두렵게 만들었던 아버지의 안경닦이까지. 그리고 그것들을 조각조각 잘라내자 그때부터 다시 몸에서 실을 뽑아낼 수 있었다고 했다. 루이스는 조각들을 기워서 지붕 위로 솟아 있는 이 거대한 거미를 만들기 시작했고 그 작업이 마침내 오늘 끝난 것이었다.

"천들을 모을 때, 엄마를 떠올리게 하던 추억들과 아버지가 주었던 상처들이 마구마구 뒤섞여서 슬프기도 하고 두렵기도 했거든. 그런데 천들을 가위로 잘라서 조각조각 내버리니까 그때 참기만 했던 후회스러운 내 모습이 조금씩 사라지더라구."

그것들을 잘라내고 다시 조합해서 새로운 것을 만들어내는 동안 루이스는 자신을 괴롭혀왔던 불안감들을 잠재울 수 있었다고 덧붙였다.

"이 커다란 거미는 내 엄마야."

늘 루이스를 지켜주던 엄마도 사실은 연약한 존재였다. 다시 거대한 거미를 바라보았다. 상처를 입어 연약하게 드러난 다리로 꿋꿋하게 버티며 자신의 딸을 다정하고 따뜻하게 감싸주는 엄마의 모습이 보였다. 그리고 그것은 루이스의 어머니이자 곧 그녀 자신이기도 했다. 조각난 천들 사이사이로 보이는 하얗게 얽힌 실은 마치 그 둘의 관계를 보여주는 것 같았다. 가느다란 다리에 매달려 있던 작은 거미는 이야기를 마치고는 하얀 실을 타고 내 손등 위로 내려왔다. 나를 찬찬히 훑어보던 루이스의 시선이 나의 가슴께에서 멈췄다.

"소중한 걸 잃어버리는 건 아주 힘든 경험이야."

아직 뚜뚜의 이야기를 하지 않았는데 어떻게 알았는지… 당황스러움도 잠시, 루이스의 시선을 따라 나로 모르게 가슴 위로 손을 올리자 어느 한 부분이 움푹 패 있는 것이 느껴져서 화들짝 놀라고 말았다. 그곳에는 언제 생겼는지 알 수 없는 작은 구멍이 뚫려 있었다. 가벼운 바람이 구멍 안을 스치자 다시 온몸이 부르르 떨렸다. 작은 구멍을 만지작거리며 뚜뚜가 세상을 떠났지만 그의 흔적을 발견해서 이곳까지 오게 된 이야기를 들려주었다. 분명 뚜뚜를 다시 만날 수 있을 거라고 확신하는 나에게 루이스는 말했다.

"음… 아니면 내가 너의 강아지를 만들어주면 어때? 마침, 하얀 실이 여기 아직 잔뜩 남아있어."

고개를 저으며 진짜 뚜뚜를 찾으러 가고 싶다는 대답과 함께 다시 길을 떠날 채비를 했다. 잠깐 기다리라고 말을 한 루이스는 하얀 실을 타고 곧 내 몸 위를 오르기 시작했다.

"이렇게 하면 조금 더 따뜻할 거야."

작은 거미는 내 가슴에 뚫린 구멍에 하얗게 조각난 천들을 덧대어 바느질을 하기 시작했다. 하얀 조각들이 점점 차오르더니 어느덧 가슴의 시린 느낌이 사라졌다. 루이스의 집을 감싸고 있는 그녀의 엄마처럼 이 작은 조각들이 내 작은 상처를 조금은 어루만져 주는 것 같았다. 나는 이 작은 거미가, 닳고 헤진 것을 고쳤다던 그녀의 엄마와 똑닮아 있다고 생각했다.

*

다시 발걸음을 옮기며 루이스의 집을 지나 뒷마당으로 나아가자, 마을 언덕 위를 지키는 아름드리나무처럼 거대한 나무 한 그루가 나타났다. 아름드리나무에 꽂아 두었던 들꽃이 있는 자리와 비슷한 곳에 뿌리가 내린 듯 얼기설기 갈라진 나무의 틈이 보였다. 그 안에서 다시 한번 뚜뚜의 방울 소리가 은은하게 번졌다. 이 길 끝에서 뚜뚜를 다시 만나게 되길 바라며 나무의 어두운 틈새로 들어가 걷기 시작했다. 또다시 밝은 빛을 향해 걷다 보니 걷고 있던 공간이 점점 커져서 어느덧 온 사방이 하얗게 빛나는 커다란 방으로 들어서게 되었다. 천장이 어찌나 높은지 꼭 하늘에 닿아 있는 것 같았다. 창문도 없는 이곳이 어떻게 빛나고 있는지 궁금함에 곳곳을 살피다가 방구석 한쪽에 쌓여있는 거대한 사탕 더미를 발견했다. 사탕들은 초록색 포장지로 알알이 감싸져 있었다. 잎사귀를 연상시키는 그 모습이 마치 숲속의 보물처럼 느껴졌다. 호기심을 가득 안고 사탕 더미로 다가갔더니 그 옆에는 미처 보지 못했던 한 남자가 앉아 있었다. 사람이 있을 거로 생각하지 못했기 때문에 당황스러웠다. 그 남자는 눈이 마주치자 빙긋 웃어 보이며 자신을 곤잘레스라고 소개했다. 나는 뚜뚜의 마법의 숲 그림과 함께 들꽃들을 따라 이곳까지 오게 되었다고 말했다. 하지만 그는 이곳이 마법의 숲은 아니라고 대답해 주었다.

"그런데 이 보석 같은 사탕들은 뭔가요? 여기에서 뭘 하시는 거예요?"

호기심으로 가득 찬 나를 바라보는 그의 눈가에는 슬픔이 어렸지만, 입가에는 따뜻한 미소가 번졌다.

"나는 세상을 떠난 내 연인을 추억하고 있단다."

그는 소중한 것을 어루만지듯 사탕을 집어서 내밀며 얼마든지 먹고 싶은 만큼 먹어도 된다고 말하고는 다시 빙긋이 웃었다. 안 그래도 아까부터 은은하게 퍼지는 사탕의 향기에 계속 침이 고이던 참이었다. 포장지를 뜯어 사탕을 꺼낸 후 입에 넣었다. 입안을 가득 채운 달콤함이 부드럽게 혀끝을 간질이며 서서히 깊숙하게 스며들어 온몸을 따뜻하게 만들었다. 그리고 저절로 눈이 감겼다. 햇살이 내리쬐던 어느 봄날, 뚜뚜와 꽃들이 흐드러지게 핀 들판에 누워서 느꼈던 평온함이 떠올랐다. 이 달콤함이 입안에서 천천히 녹아내리는 동안 세상의 걱정들이 모두 사라지는 것 같았다. 그 순간, 주변의 텅 비어 버렸던 공간이 다시 뚜뚜의 따스한 온기로 가득 채워지는 것 같았다. 귓가에서 다시 뚜뚜의 방울 소리를 느꼈다. 그의 연인은 아마도 뚜뚜처럼 다정함으로 가득 찬 사람이었나 보다. 나도 모르게 지어진 미소를 발견한 곤잘레스는 이야기를 시작했다. 그가 사랑하는 사람이 세상을 떠나자 아주 커다란 허전함이 그를 덮쳐서 견딜 수가 없었다고. 함께 보냈던 많은 시간을 뒤로 하고 그가 사랑하는 사람의 시간이 멈춰버렸다는 사실을 도무지 그냥 받아들일 수 없었다고 했다.

"나는 그 사람을 영원히 내 곁에 두기로 했어."

곤잘레스는 그의 연인처럼 달콤하고 따뜻한 사탕을 모으기 시작했다. 그리고 이렇게 산더미처럼 가득 쌓인 사탕들은 둘이 함께했던 소중한 순간들을 계속해서 추억 할 수 있게 해준다고 했다. 그의 말처럼 사탕은 이 세상을 떠난 그의 연인같이 점점 녹아 사라지지만, 그 달콤함과 따뜻함은 마음속에 남아 오래도록 기억될 것 같았다. 앞으로 사탕을 먹을 때면 오늘의 이 특별한 순간이 떠오르겠지? 어쩐지 알 듯 말 듯 한 기분이 들었다.

"아저씨의 그 사람은 지금 곁에 없지만, 이 사탕들을 통해서 여전히 함께하는 거네요?"

"맞아, 소라야. 사랑하는 사람의 시간은 결코 멈추지 않아. 내가 계속 이렇게 흐르게 할거거든."

곤잘레스는 고개를 끄덕이며 아까보다 더 큰 미소를 지었다. 그리곤 다시 사탕을 내밀었다. 반짝이는 포장지 안의 작은 사탕 하나하나에는 많은 이야기가 담겨 있었다. 그가 내민 것은 들려주지 않아도 알 수 있는 그들의 추억이고 그의 연인에 대한 깊은 그리움이었다. 다시 입안에 사탕을 넣자 달달함이 온몸으로 서서히 번졌다. 그리고 그때, 여름처럼 푸르게 반짝이는 사탕 더미 위에 하얗게 내려앉은 민들레 홀씨 하나를 발견했다. 이것은 봄의 끝자락과 여름이 시작되는 경계에서 푸른 들판 위를 달리던 뚜뚜를 떠올리게 했다. 너른 들판에 보석처럼 박혀있는 노오란 민들레꽃들은 어느 순간 자신의 생명력 넘치는 꽃잎들을 조용히 내려놓고, 그 자리에 작고 섬세한 하얀 홀씨들로 채워갔다. 그리고 그 위를 뚜뚜와 함께 나란히 달릴 때 뚜뚜의 보드라운 털을 닮은 홀씨들이 바람에 실려 멀리멀리 하늘 위로 날아오르곤 했었다. 나는 그 순간을 특히 좋아했다. 홀씨들이 날아오르는 모습은 마치 뚜뚜가 하늘을 누비며 뜀박질하는 것처럼 보였고 무한한 자유와 즐거움을 그대로 담고 있었기 때문이었다. 사탕더미로 다가가 조심스럽게 홀씨를 잡으려 손을 뻗었다. 손끝에서 퍼져나간 가벼운 손바람이 잡을 뻔한 홀씨를 떠오르게 만들었다. 다시 손을 뻗었지만 홀씨는 움켜쥐려 할 때마다 번번히 미끄러지듯 빠져나갔다. 결국 홀씨는 손에 닿을 수 없을 만큼 높이 떠올랐다. 때마침 불어오는 따뜻한 바람이 홀씨를 춤추게 만들더니 어느 한 방향으로 나아가게 했다.

"마법의 숲으로 가는 길이 열리는 모양이야."

곤잘레스가 나지막이 웃으며 이야기했다. 홀씨는 하늘을 산책하는 뚜뚜처럼 장난스럽게 잡힐 듯 말 듯 앞장서며 나를 이끌었다. 얼마쯤 걷다 보니 눈 앞에 살짝 열려있는 작은 문이 나타났고 그곳에서는 하얀빛이 스며 나오고 있었다. 그리고 홀씨는 옅은 방울 소리와 함께 그 열린 문틈으로 빨려가듯 사라졌다. 예전에는 알 수 없는 곳으로의 초대가 분명 무섭게 느껴졌었다. 내 마음속에 심어진 불확실함과 미지의 세계에 대한 작은 공포는 항상 뚜뚜가 든든하게 지켜준다는 믿음으로 무너뜨릴 수 있었다. 그러나 지금은 뚜뚜가 없어도 이 문 너머가 무섭지 않았다. 나는 주저 없이 손잡이를 움켜쥐고 그 문을 힘차게 열었다.

*

활짝 열린 문을 통해 다음 공간에 들어선 순간, 눈을 뜨기 어려울 정도로 강렬한 광채가 순간적으로 모든 것을 휩쓸었다. 그리고 빛에 익숙해질 무렵 내 눈앞에는 마치 오래된 이야기 속에 나올 법한 이끼로 뒤덮인 돌계단이 모습을 드러냈다. 그 계단을 따라가는 길 주변은 신비롭게 빛나는 은빛 나무들이 숲을 이루고 있었다. 끝없이 하늘을 향해 솟아 있는 나무들의 잎사귀 하나하나에서 은은한 빛이 흘러나와 주변을 환하게 밝혔다. 그 빛은 달빛을 닮아 있었지만 그보다 훨씬 따뜻하고 부드러웠다. 나무 사이사이로 부는 바람은 반짝이는 강처럼 흐르고 있었고 그 물결을 따라 민들레 홀씨가 춤을 추며 날아다녔다. 계단을 따라 한 걸음 한 걸음 오르기 시작하자 뒤에서 불어오는 따뜻한 바람이 내 등을 슬며시 밀어주었다. 계단 위에 다다르자 황금빛 꽃들에 둘러 싸인 넓은 호수가 보였다. 호수는 시시각각으로 색을 변화시켰다. 마치 하루의 모든 시간을 한 번에 담아내는 듯했다. 맑은 하늘처럼 부드러운 파스텔 색조를 띠다 가도 금방 새벽이 깨어나는 순간처럼 어스름해 지더니, 어느덧 저녁노을이 지는 것처럼 분홍빛을 띠기도 했다. 세상의 색이 모두 담긴 것 같은 호수는 변화무쌍하게 계속 그 모습을 바꾸었지만, 별빛이 반짝이는 듯한 표면의 일렁임은 변함없이 그 자리에 머물고 있어서 마치 서로 다른 시간이 공존하는 것 같았다. 머리 위로 부는 바람의 물결은 호수 너머로 이어지고 있었다. 어떻게 이 호수를 건널 수 있을지 고민할 때 하늘에서 춤을 추던 민들레 홀씨가 눈앞으로 내려왔다. 공중에 둥둥 떠 있던 홀씨는 몸을 빙글빙글 돌리더니 작은 소용돌이를 만들었다. 그 소용돌이에 점점 더 많은 홀씨가 모이더니 어느덧 작은 구름을 만들고 조각배처럼 호수 위에 자리 잡았다. 폭신한 구름 위로 옮겨 앉자, 내 다리에 몸을 부비며 간질이던 뚜뚜가 생각났다. 구름 배는 호수 위에 둥근 물결들을 남기며 반대편으로 천천히 움직이기 시작했다. 물결이 번져 나갈 때마다 작은 방울 소리들이 함께 번졌다.

호수의 반대편은 아까와는 또 다른 세상이었다. 푸르게 넘실거리는 들판 위에는 생생한 색채들로 가득했다. 수많은 형형색색의 꽃들이 무지개 아치를 그리며 피어 있었다. 그뿐만이 아니다. 이곳의 모든 꽃잎 하나하나, 풀잎 하나하나, 거기에 맺힌 작은 물방울 하나하나에서 가느다란 실이 뻗어 나와 거대한 숲으로 이어졌다. 실을 따라 숲으로 발을 들여놓자, 하나하나 뻗어 나가던 실들이 하나의 씨앗에서 자란 뿌리처럼 뒤엉키기 시작했다. 그 실들은 숲을 이루고 있는 모든 것들을 그물처럼 감싸며 이어졌다. 매듭의 시작과 끝이 어딘지 알 수 없을 정도로 빽빽하게 엮인 실들은 영원히 끊어지거나 풀리지 않고 견고하게 그 자리를 계속 지키고 있을 것 같았다. 때로는 무언가를 보호하듯 거대한 벽을 이루고 때로는 쉬어가는 여행자를 위한 안락한 그물 의자로 변하는 실들을 따라서 앞으로 나아갔다. 숲의 깊숙한 곳으로 들어가자, 무수히 얽힌 실들 사이에서 이따금 햇살을 받아 작게 반짝이는 것들이 내 시선을 사로잡았다. 가까이 다가가자 그 작은 형체가 모습을 드러냈다. 뚜뚜의 목걸이에 달려 있던 것과 닮은 작은 방울이었다. 손가락으로 살짝 방울을 건드리자 맑은소리가 울려 퍼졌다. 실의 진동을 따라 여기저기에서 다른 방울 소리가 메아리치며 주변을 가득 메웠다. 그 소리는 크리스마스 아침에 엄마, 아빠가 선물해준 나무 오르골에서 흐르던 음악과 닮았다. 그 오르골 상자의 뚜껑을 열면 나와 뚜뚜의 모습처럼 작은 사람과 하얀 강아지가 빙글빙글 돌아가며 아름다운 선율을 연주했다. 뚜뚜도 가만히 엎드려서 항상 꼬리를 살랑거렸으니 그 음악을 좋아했던 것이 틀림없었다. 실에 걸려 있는 것들은 방울뿐만이 아니었다. 시간의 흔적이 담긴 녹이 슨 열쇠, 쪼글쪼글해진 머리끈, 멈춰버린 회중시계, 반쯤 찢겨 있는 기차표, 닳고 닳아서 짧아진 연필, 짝을 잃어버린 장갑 한 짝⋯오래되어 보이는 작은 물건들이 곳곳에 자리하고 있었다. 그때 멀리서부터 맑은소리가 들려오기 시작했다. 또 다른 누군가가 실을 연주하듯 소리는 끊어지지 않고 계속 이어졌다. 흔들거리는 실에 이끌리듯 따라 걸었다. 저 멀리서 정성스럽게 실에 무언가를 매달고 있는 단발머리의 아주머니가 눈에 들어왔다. 가까이 다가가자 인기척을 느낀 그녀는 잠시 손을 멈추고 몸을 빙글 돌려서 나를 바라보았다. 그리고 자신을 치하루라고 소개하며 미처 말을 꺼내기도 전에 '네가 소라구나!' 하고 반겼다. 나를 어떻게 알고 있는 걸까? 깜짝 놀라서 동그랗게 뜬 눈을 바라보며 그녀는 실에 걸린 작은 방울 하나가 나의 이야기를 들려주었다고 설명했다.

"뚜뚜는 어디에 있나요?"

괜한 기대감이 차올랐다. 빙그레 웃던 치하루는 멈췄던 손을 다시 움직여서 마저 실에 무언가를 매달았다. 그녀의 손이 실을 떠나자 작은 방울들이 은은하게 소리를 내었다. 새롭게 실에 자리 잡은 그 물건에서 익숙함이 느껴져서 눈을 뗄 수가 없었다. 한쪽이 조금 뜯긴 동그랗고 낡은 노란 고무공이었다. 아니, 이건 뚜뚜의 장난감이잖아? 놀라움에 나도 모르게 손을 뻗어 작은 공을 덥석 움켜쥐었다. 그 순간, 실들이 크게 진동하며 방울들이 요란한 소리를 내었다. 아직 따뜻한 온기가 남아있는 그 공은 뚜뚜의 생일날 들꽃과 비슷한 색을 찾다가 발견한 선물이었다.

"뚜뚜야! 궁금하지? 내가 깜짝선물을 준비했단 말이야!"

등 뒤로 선물을 감추고 뚜뚜에게 다가가자 살짝 엎드린 뚜뚜가 혀를 내밀고 헥헥거리며 꼬리를 마구 흔들었다. 빨리 보여 달라는 듯 양발을 옴짝달싹하던 뚜뚜의 행동에 맞춰 목걸이의 방울도 딸랑딸랑 울렸다. 등 뒤로 감췄던 손을 뻗으며 힘껏 공을 던지자 ,그것을 따라

귀를 펄럭이며 뛰어다니던 나의 강아지. 벽과 바닥을 튕기며 마구마구 굴러가는 노란 고무공을 쫓는 뚜뚜의 발걸음 소리가 귓가에 생생하게 들렸다. 드디어 공을 입에 문 뚜뚜는 내미는 나의 손으로 다가와 그 위에 공을 살포시 올려 놓았다. 잘했다는 칭찬에 입을 크게 벌리며 웃는 뚜뚜의 기쁨이 발끝에서부터 머리까지 꽉 차게 퍼졌다. 그리고 동시에 마음 깊은 곳에서부터 울컥 눈물이 차올랐다. 너무나 보고 싶은 뚜뚜는 지금, 이 순간 내 곁에 존재했다. 그리움과 기쁨이 뒤섞인 눈물이 볼을 타고 흐르자 손안의 노란 공이 서서히 사라졌다.

"가지 마…!"

사라지는 공을 붙잡기 위해 허공에 팔을 허우적거리다가 그 위에 걸려있던 뚜뚜의 옷을 발견했다. 핼러윈 코스튬을 하기 위해 준비했던 까만 박쥐 날개가 등에 달린 망토였다. 둘 다 똑같은 망토를 두르고 나는 송곳니가 뾰족하게 보이는 사탕을 입에 물었다. 뚜뚜는 작은 바구니를 입에 물고 앞장서서 마을의 이웃집들을 찾아다녔다. 바구니에 차곡차곡 쌓인 사탕을 내 발치에 내려 두었던 뚜뚜. 항상 나에게 행복을 주던 그 모습이 떠올라 입가에 슬며시 미소가 지어졌다. 까만 망토 위의 날개도 점차 투명해지더니 곧 뚜뚜의 옷도 사라졌다.

또 다른 한쪽에 걸려있던 계란후라이를 닮은 들꽃도 뚜뚜와 푸른 들판을 달리던 기억을 떠올리자 사라졌다. 실에 걸려있던, 뚜뚜를 떠올리게 하는 많은 것들이 선명하게 기억을 소환하면서 모두 서서히 사라져갔다.

이제야 비로소 깨달았다. 내 발길이 닿은 모든 곳이 다 마법의 숲이었음을. 뚜뚜의 콧김처럼 따뜻하게 얼굴을 스치던 바람, 다정함이 느껴지던 사탕의 달콤함, 뚜뚜의 꼬리처럼 살랑거리던 하얀 홑씨, 계단을 오르는 힘겨움을 도와주던 등 뒤의 손길, 다리를 스치던 구름 배의 폭신하고 간지럽던 감촉, 뚜뚜의 숨소리처럼 귓가를 울리던 맑은 선율… 이전에도 그리고 지금도 뚜뚜는 그 모든 순간을 나와 함께 하고 있었다.

　그 순간, 가슴에 난 작은 구멍을 채우던 하얀 조각이 발아래로 데구루루 구르며 떨어졌다. 그 하얀 조각을 손에 쥐고 아직 은은한 소리를 울리면서 가늘게 떨고 있는 실 앞으로 다가갔다. 조심스럽게 그 조각을 실에 매달기 시작하자 가슴에 남아있던 시림과 허전함이 서서히 사라지기 시작했다. 새하얀 뚜뚜를 닮은 조각이 실에 안착하자 안도감이 섞인 그리움이 온몸을 감쌌다. 가만히 바라보고 있으니 또다시 뚜뚜와의 추억들이 생생하게 떠올랐다. 눈물이 툭 떨어졌지만 입가에는 미소가 번졌다. 그리고 곧 은은한 방울 소리와 함께 하얀 조각도 점차 투명해지기 시작했다. 이제 괜찮아, 나는 항상 너를 떠올릴 수 있어.

　"안녕, 뚜뚜야."

에필로그

　나는 세상과의 평형을 회복하고 나를 찾기 위한 치유의 길 위에 서 있다.

사라지는 것들

발행 2024년 07월 19일

지은이 최은영

디자인 조미진

펴낸이 정원우

펴낸곳 글ego

출판등록 2019.06.21 (제2019-000227호)

주소 서울시 강남구 강남대로 118길 24 3층

이메일 writing4ego@gmail.com

홈페이지 http://egowriting.com

인스타그램 @egowriting

ISBN 979-11-6666-529-5